Sur la paupière de mon père

Du même auteur
chez le même éditeur

Le moindre des mondes
De tes yeux, tu me vis

Sjón

Sur la paupière de mon père

Traduit de l'islandais
par Éric Boury

Rivages

Retrouvez l'ensemble des parutions
des Éditions Payot & Rivages sur

www.payot-rivages.fr

Titre original : *Með titrandi tár*
(Mál og menning, Reykjavik, 2001)

ISBN : 978-2-7436-2193-1

À ma mère et à mon fils

« Déplairait-il aux Islandais de voir Egill Skallagrímsson leur revenir en chair et en os depuis le Moyen Âge ?

Se trouverait-il un seul homme pour vouloir se priver de la vision du vaisseau spatial et de ses faisceaux flamboyants d'étincelles descendant des nuages avant de se poser sur la piste d'atterrissage ? De la vision de la porte qui s'ouvrirait, laissant sortir Egill – avec armes et bagages !

Quel instant grandiose que le moment où Sigurður Nordal apostropherait cet hôte et souhaiterait la bienvenue à son véritable ami de longue date, lequel est aussi celui de tout Islandais ! »

(Extrait de *En route vers des planètes étrangères*, Gísli HALLDÓRSSON, édition de 1958.)

I

(AU COMMENCEMENT)

1

Il était une fois un berserkur, aussi appelé guerrier-fauve, de si méchante nature qu'il ne supportait
nulle créature vivant alentour. Au commencement,
il s'était contenté de s'en prendre à la vie qui s'épa-
nouissait à sa proximité – quelque part dans le sud
de l'Asie – mais une fois qu'il eut occis tout ce qui
se trouvait à sa portée, il ramassa le peu de choses
qu'il possédait : une tenaille de la taille d'un chêne
adulte et un poulailler monté sur roues. Il s'attacha
au poulailler, lança la tenaille à deux mains et, ainsi
entraîné, entreprit son long périple dévastateur.

Il semblera peut-être surprenant que ce fort
méchant homme ait épargné la vie des gelines qu'il
retenait à l'intérieur du poulailler bringuebalant.
Mais la chose s'explique par le fait que sa folie
meurtrière lui avait ôté tout appétit. Il ne parvenait
pas à manger ce qu'il assassinait. À la place, il
emmenait les cadavres pour les entasser çà et là sur
les lieux de ses carnages. C'était là un travail de
Titan au terme duquel il était trop éreinté pour

envisager d'abattre les poules étant donné l'énergie considérable que la tâche exigeait. Les années s'écoulèrent ainsi sans que le berserkur parvienne à trouver le temps de tuer ses poules. Petit à petit, il avait pris l'habitude de gober leurs œufs pour se désaltérer, engloutissant ainsi des générations entières de poussins à naître. La méthode qu'il employait pour les consommer était tout aussi contre nature que l'esprit qui l'avait engendrée. Dès qu'un caquètement annonciateur se faisait entendre chez ces bestioles emplumées, il les empoignait les unes après les autres pour gober l'œuf directement depuis leur arrière-train.

Pour sûr, cruelle et impie – telle était son essence.

Eh bien, à propos des voyages du guerrier-fauve, on dira qu'il s'attaqua à notre continent en traînant le poulailler derrière lui, la tenaille brandie en l'air, frappant et réduisant en bouillie tout ce qui se trouvait sur son passage. Il sauta par-dessus le Bosphore et remonta l'Europe à grandes enjambées. Il arriva alors à un fleuve nommé rivière Saxe qu'il décida de suivre jusqu'à la mer. Ses berges étaient riches d'une vie à la fois florissante et foisonnante. Les monceaux de défunts s'accumulaient dans le sillage du berserkur, l'eau du fleuve se colorait de sang et, depuis l'embouchure, une épaisse traînée rouge sombre remontait jusqu'aux confins du monde où l'île de Thulé était en train de naître ou, tout du moins, la région des fjords de l'Ouest.

Il advint qu'un matin au réveil, le guerrier-fauve entreprit de gober ses gelines. Le sort voulut qu'au moment où il porta le cul de la dernière à ses lèvres, ce ne fut pas un œuf qui atterrit dans son affreuse gueule, mais un petit poussin tout frétillant de vie. Le prodige s'expliquait par la façon dont le guerrier-fauve récupérait les œufs et qui avait eu pour conséquence de dilater si considérablement l'orifice des bestioles que le poussin avait éclos à l'intérieur de sa mère.

Si le berserkur avait été attentif lors de sa tuerie de la veille, il aurait remarqué le poussin qui coulait des jours heureux dans le cul de sa mère dont il sortait par intermittences sa petite tête jaune afin d'obtenir sa pitance. Mais cela n'avait pas été le cas et les choses furent ce qu'elles furent : le poussin se trouva happé dans la gueule du berserkur. Et si le guerrier-fauve n'avait pas connu un instant d'hésitation face au chatouillis que provoque un poussin duveteux sur la langue, l'oisillon en question aurait atterri dans son estomac où il aurait rendu l'âme parmi les coquilles, les jaunes et les blancs d'œufs.

La mâchoire inférieure du guerrier-fauve s'affaissa : de sa langue, il explora chaque recoin de sa bouche à la recherche du corps étranger, il se racla la gorge, cracha, expulsa l'air à toute vitesse, toussa, se plongea les doigts dans le gosier, tira la langue, haleta comme un chien, hurla, ouvrit grand la bouche pour s'examiner sur le tranchant brillant de la tenaille. En vain : le poussin s'était blotti au creux d'une profonde crevasse dans l'une des dents de sagesse du berserkur en attendant que les débordements prennent fin. Le guerrier-fauve serait évidemment resté là jusqu'au jugement dernier, hurlant et grimaçant, si quelques papillons n'avaient pas été amenés par la brise matinale. Ils captèrent son attention en volant en tous sens au-dessus des champs de houblon, le rappelant ainsi à son labeur quotidien.

Une besogneuse allégresse s'empara du guerrier-fauve. Il déchira et réduisit en pièces tout ce qui passait à sa portée dans la bataille effrénée qu'il livra contre les papillons, lesquels, en plus d'être stupidement inconscients de leur destin, cherchaient à entrer par les orifices corporels du berserkur, comme si ces derniers avaient recelé quelque mets délicieux. Le soir venu, alors que le soleil ensanglantait les étendues désertes et que le berserkur reposait ses os fatigués par le labeur du jour, sa victoire absolue contre les papillons et l'amoncellement de dépouilles qui s'ensuivait, il avait oublié le pique-assiette installé dans sa bouche.

Le poussin prospérait au creux de la dent de son hôte impétueux. À l'instar de tout blanc-bec, il s'accommoda en toute candeur des tragédies de l'existence, qu'il s'agisse des expéditions guerrières menées contre ses congénères, de ses poussées de croissance régulières ou tout simplement du fait qu'il s'était vu arracher au cul tiède de sa mère pour se retrouver dans la gueule nauséabonde d'un guerrier-fauve. Les changements survenus dans sa condition l'affectaient toutefois moins que les exercices de pépiement auxquels il se livrait.

La seule chose de son ancienne demeure qui manquât au poussin était la possibilité de jeter de temps à autre un œil sur l'extérieur. Le peu de fois où il apercevait furtivement le vaste monde se résumait à celles ou le guerrier fauve s'attaquait en hurlant à la face de son ennemi – la vie. A ces moments-là, assis dans la dent creuse tel un étudiant pauvre perché dans le poulailler, il assistait à la répétition générale du *Crépuscule des dieux*. Mais comme il n'osait pour rien au monde passer sa tête entre les dents du berserkur, peu de choses de grand intérêt s'offraient à sa vue : un être humain terrifié, une famille de lièvres en fuite, voire un buisson de baies de genièvre tremblotant.

Le poussin n'était pas simplement curieux, il était jeune et curieux. Il ne se contentait en rien de ces menues miettes. Et quand le guerrier-fauve grinçait des dents pour entasser ses victimes ou qu'il sommeillait, les mâchoires serrées – à cause de sa crainte des attaques d'insectes – alors, le poussin pépiait de toute la force de son âme :

« Je peux voir, je peux voir ? »

Jusqu'au moment où le berserkur se tournait dans son sommeil et béait d'étonnement.

« Je peux voir, je peux voir ? »

Le guerrier-fauve ne s'en remettait pas. Il ne lui manquait pas seulement les dons pour comprendre d'où provenait cette voix qui le tourmentait lors de ses tueries – il venait tout juste de tordre le cou à quelque créature au moment où le chant débuta :

« Je peux voir, je peux voir ? »

Décidément, se voir mû par une force extérieure à lui-même allait à l'encontre de son individualisme. Le découragement s'empara de lui et il se surprit désemparé à la vue de ses opposants, ces cadavres trépassés, couchés à ses pieds, alors que le pépiement résonnait sans cesse à l'intérieur de son crâne :

« Je peux voir, je peux voir ? »

Voilà pourquoi il advint qu'un jour, à travers sa calvitie de la largeur d'une main, l'idée qu'il s'agissait là de sa « voix intérieure » s'infiltra pour s'y enraciner.

Il prit un air intelligent et annonça haut et fort :

« J'ai entendu les paroles de mon être intérieur. Et mon être intérieur est curieux. Il veut voir, il veut observer. Je veux voir, je veux observer. Connaître toujours plus. Je suis curieux de tout ce qui vit et meurt – peut-être un peu plus de ce qui meurt – mais c'est avant tout la curiosité qui me pousse à avancer sur ma route, autrement incompréhensible.

Avant l'apparition du poussin, l'horloge qui se balançait dans le cœur du guerrier-fauve était une espèce de créature ânonnant « édernidé ». Et puis non, c'était un puissant mécanisme qui martelait :

Ze gui ne me tue bas me rend blus fort !

Ze gui ne me tue bas me rend blus fort !

Ze gui ne me tue bas me rend blus fort !

Ze gui ne me tue bas me rend blus fort !

Ze gui ne me tue bas me rend blus fort !

Au fait, où en étais-je ? Ah, voilà, à ce stade de l'histoire, le berserkur se trouvait aux abords de la rivière Saxe. Il avançait moins vite qu'il l'aurait souhaité car il ne lui suffisait plus désormais d'entasser ses victimes en de très artistiques pyramides : il se faisait un devoir de les découper et de les examiner attentivement auparavant.

Rien ne semblait susceptible d'assouvir la curiosité du poussin auquel le guerrier-fauve avait cédé les rênes. Le berserkur était totalement épuisé à force de rompre des os, de débiter des troncs d'arbre ou de casser des blocs de pierre.

« Je peux voir, je peux voir ? » hurlait le poussin pendant que le berserkur se démenait. On peut s'imaginer que la tâche aurait eu raison du guerrier-fauve si un événement ne s'était produit, qui l'avait préservé d'un destin à ce point pitoyable.

Le guerrier-fauve épuisé s'était jeté à terre pour dormir, la vision du berserkur ainsi couché sur le dos la gueule béante ne manquait assurément pas d'être comique – c'était la seule solution qu'il avait trouvée pour que cette insistante voix intérieure lui accorde un peu de répit – on n'entendait plus qu'un pépiement fluet :

« Je peux voir, je peux voir ? »

Lequel s'amenuisait au fur et à mesure que le sommeil gagnait le poussin. Le lendemain matin, le guerrier-fauve et l'oisillon s'éveillèrent sur un champ d'oignons, la culture des oignons allait alors bon train dans la province de Basse-Saxe. Le champ était situé en contrebas d'une hauteur qui le séparait d'un anonyme village de chaumières rassemblées sur le pourtour d'une butte de terre.

Donc, le guerrier-fauve et le poussin étaient réveillés, le premier afin de poursuivre ses exploits dans la bataille qu'il livrait contre la vie et le second en route vers de nouvelles découvertes concernant cette même vie. Le berserkur se leva d'un bond, les yeux encore pleins de sommeil et les sens imprégnés d'une forte odeur d'oignon. La rosée matinale rougeoyait sur les tiges érigées aussi loin que portait son regard éteint. Il sentit à quel point cette terre fraîche et les vertes pousses qui en sortaient de toutes parts portaient sur chacun des nerfs de son corps, lui montant jusqu'au cerveau où elles actionnaient les sirènes d'urgence. En un clin d'œil, il s'imagina toute cette végétation bondir hors du sol pour former un ridicule chaos où il se prendrait les pieds avant de retomber cul par-dessus tête. La suite serait un jeu d'enfant pour son adversaire : le guerrier-fauve allait rester couché là impuissant jusqu'à ce que les tiges des oignons viennent l'étouffer et la terre le recouvrir.

Il allait mourir.

Le guerrier-fauve fut pris de panique. Le glas du jugement dernier retentit dans son cœur : Ze gui ne me tue bas me rend blus fort ! Ze gui ne me tue bas me rend blus fort ! Ze gui ne me tue bas me rend blus fort !

Le poussin se blottissait tout au fond de la dent de sagesse, la dernière heure de l'assassin avait sonné. Le berserkur parcourut le champ telle une bourrasque. Il laboura la terre pour en extirper les oignons, les déterra à coups de pied, les arracha avec ses mains, élevant des monceaux de terre qui montaient jusqu'au ciel, comme des flèches gothiques. En un instant, le berserkur parvint à vaincre son ennemi ; une fois qu'il eut mis le champ sens dessus dessous – dans l'acception la plus radi-cale des termes – il entreprit d'extraire à petit feu la vie des oignons qui le cernaient de tous côtés, tel un tueur à gages qui aurait perdu la raison.

Dans des conditions normales, c'est-à-dire si le guerrier-fauve s'était comporté conformément à ses habitudes, l'assassinat des oignons aurait été un jeu d'enfant. Mais puisqu'il s'était maintenant piqué d'écraser chaque bulbe à l'intérieur de sa paume, le poussin ne parvenait plus à maîtriser plus longtemps sa nature de jeune coq et le berserkur entendit la voix grêle de son être intérieur qui l'encourageait à effectuer des recherches sur le végétal :

« Je peux voir, je peux voir ? »

Le guerrier-fauve ouvrit grand sa gueule afin de mieux entendre, l'oignon apparut au poussin qui fut sur-le-champ saisi de l'envie de voir ce qu'il recelait – il n'avait en effet jamais vu un oignon – et qui pépia poussé par sa jeune et innocente curiosité :

« Je peux voir, je peux voir ? »

Empli d'impatience, le poussin observa les doigts gauches du berserkur pendant qu'ils retiraient les pelures les unes après les autres, s'enflammant à la vision de chaque nouvelle couche :

« Je peux voir, je peux voir ? »

Le guerrier-fauve vacilla. Couvert de sueur, il avait du mal à extraire l'oignon de l'oignon. Sa voix intérieure, cet être curieux qu'il avait découvert en lui-même commençait à l'agacer : qu'y avait-il donc d'intéressant à voir dans un malheureux oignon ?

« Je peux voir, je peux voir ? »

Le poussin ne se contrôlait plus, il agitait ses ailes

naissantes, écarquillait les yeux, avançait sa tête jaune en caquetant à tue-tête :

« Je peux voir, je peux voir ? »

Et quand le berserkur parvint finalement à peler la dernière couche avec ses doigts tremblants – et qu'il apparut qu'il n'y avait là rien de rien – mais que la voix continuait à crier toujours plus, il devint complètement fou. Il pleura, il rit, il tourna sur lui-même, il tapa des pieds, hurla, sanglota tout bas, se prit la tête dans les mains, se jeta à plat ventre contre terre, frappa le sol, jura, compta ses doigts, gémit, arracha ses vêtements, se rappela son enfance, aboya, sifflota un bout de chanson, attrapa son membre auquel il fit décrire des cercles. Il se raidit d'un coup, puis poussa un soupir.

Géant nu et sans refuge, le guerrier-fauve resta figé dans ce chaos qui avait été un champ l'instant d'avant. La nature de fouine qui l'avait habité s'était éteinte, le mécanisme de l'horloge avait rendu l'âme et l'on n'entendait plus le moindre « Ze gui ne me tue bas me rend blus fort ! ». Le calme de la folie l'avait gagné. Il balançait son affreuse tête, avec une expression humble en frottant le pouce de sa main droite contre son index comme pour cajoler ce rien de rien que l'oignon était censé receler tout en ânonnant « édernidé, édernidé ».

Puis il leva les yeux, d'un air aussi étonné et stupide que ceux auxquels il ne reste plus rien dans la vie que ces trois questions : qui suis-je ? D'où viens-je ? Où vais-je ? sachant que les réponses se trouvent dans l'existence qu'ils ont menée jusqu'à l'heure fatale qui, en plus de les avoir conduits à ces interrogations, les ont en même temps privés de tout souvenir.

Le poussin qui s'était tenu tranquille le temps qu'avaient duré les déchaînements en se blottissant contre la racine de la dent de sagesse entrevoyait maintenant une ouverture et rompit le silence avec de brefs pépiements hésitants :

« Je, je peux, voir, voir ? »

Probablement voulait-il dire quelque chose de l'acabit de : « Tout va bien, beau-père ? Le monde a-t-il repris sa forme normale ? » Car peu de choses troublent autant la jeunesse que le désordre, autrement dit : peu importe que le monde soit ridicule dans sa forme ou truffé d'injustice tant que les choses sont à leur place. Il ne parvenait toutefois pas à exprimer l'idée autrement que par ce :

« Je peux voir ? »

Le berserkur fut saisi d'un second accès de folie. Il prit ses jambes à son cou, fuyant son être intérieur en une course effrénée. Il se lança à toute vitesse à l'assaut de la colline d'où il se projeta, décrivant un immense arc de cercle au-dessus des chaumières du village et jusqu'au cercle polaire où il atterrit à plat ventre avec une telle violence que chacun des os de son corps se brisa menu menu. Il resta là à pourrir pendant une bonne quarantaine d'années, gran-diose bénédiction pour le règne animal. Sa colonne vertébrale dépasse de la mer à cet endroit qu'on appelle Tröllaskagi, la péninsule des Géants.

Il faut dire qu'au moment où le berserkur passait par-dessus les toits des chaumières avec le masque de la mort sur le visage lors de son prodigieux bond, chacun de ses muscles bandés en un cri avide : « Ô mort, accueille-moi ! », le poussin, quant à lui, tomba de sa gueule béante et atterrit au centre du village. Et bien sûr, il survécut à sa chute.

Les villageois savaient que si le poussin n'avait pas rendu fou le guerrier-fauve, leurs jours auraient été comptés. Aussi ne se contentèrent-ils pas de baptiser leur village du nom de Kükenstadt en l'honneur de leur sauveur, non, ils érigèrent égale-ment un monument sur la butte de terre qui devint plus tard la place du village. Là s'élevait la statue d'un poussin, comme on peut le voir sur les vieilles photographies, avant que le village ne soit rasé vers la fin de la Seconde Guerre mondiale.

II

(17 JUIN 1944)

2

En l'an mil neuf cent quarante-quatre, la navigation en haute mer relevait d'une telle évidence pour
le genre humain que peu de choses étaient plus
naturelles que celle de quitter un port pour un autre
bien que la destination fût au-delà de l'horizon.

Il y avait à cela bien des raisons.

Les gens ne craignaient plus de naviguer en
dépassant les limites du disque. La Terre n'était
plus aussi plate qu'elle en avait l'air. Les scientifiques avaient depuis longtemps apporté la preuve
qu'elle ressemblait plutôt à une balle qui flottait
dans l'espace en tournant sur elle-même et autour
du Soleil. La Lune et les autres planètes obéis-
saient à des lois comparables. Elles effectuaient une
révolution sur elles-mêmes et tournaient autour du
Soleil.

Au début, les adultes et les enfants étaient pris de
vertige à la pensée que le monde pouvait se résumer
à une universelle partie de ballon : cette conception
allait à l'encontre de toutes les perceptions de leur

corps. On ne pouvait plus se fier à ses yeux, une plaine devenait une pente et si quelqu'un affirmait être demeuré immobile à tel ou tel endroit, il devenait la risée de tous. N'allons pas comprendre que le commun des mortels avait ces données scientifiques constamment en tête. Non, au quotidien, cette conception du monde n'était rien d'autre que des jeux de l'esprit auxquels se livraient des experts au sein d'institutions prévues à cet effet. Les gens du commun n'avaient pas de temps pour ces divagations, trop occupés qu'ils étaient à d'autres besognes comme celle de manger leur soupe de carottes, d'oignons et de choux farcis.

Ou bien celle de voguer sur les flots.

Pour résumer, en l'an mil neuf cent quarante-quatre, de nombreux siècles s'étaient écoulés depuis l'époque où seuls les surhommes avaient en tête d'écumer les mers au-delà de l'horizon. Les voyageurs maritimes savaient comme tout le monde que la Terre était ronde. Ils n'y réfléchissaient pas outre mesure. S'ils devaient naviguer en remontant vers le nord, ils s'exécutaient.

Il leur venait encore moins à l'esprit que les pays puissent être engloutis sous l'eau quand rien d'autre n'était visible que la mer gris sombre de tous côtés. Et ce, bien qu'aucune nouvelle ne leur soit parvenue de chez eux depuis quarante jours et quarante nuits. Non, à ce point de la navigation mondiale, les capitaines courageux naviguaient en fonction de boussoles dont les aiguilles aimantées pointaient vers le pôle Nord quelle que soit la façon dont le bateau reposait sur les flots. On n'utilisait plus les voiles que pour la navigation de plaisance ou sur les antiquités.

Celles-ci avaient été remplacées par des moteurs aussi imposants que des cathédrales et chaque bateau de tonnage moyen filait si vite qu'il distançait aisément n'importe quelle baleine tueuse croisant sa route. Précisément, ces bateaux étaient conçus dans un acier de la meilleure qualité, résistant au feu et bien lisse, enduit d'une laque des plus solides au point qu'il n'y avait plus besoin d'avoir recours à un hunier pour veiller sur le danger à huit bras tapi au fond de la mer : le calamar géant. Il s'en fallait de peu qu'ils ne s'élèvent de la surface de l'océan pour prendre la direction de la Lune.

Il demeure qu'en dépit des appareils de navigation et des prouesses des chantiers navals, une voie maritime qui était la veille un jeu d'enfant pouvait le lendemain relever de la plus terrible des épreuves. Ainsi en va-t-il au moment où cette histoire commence.

La mer est démontée.

Le paquebot *Goðafoss* est balloté quelque part entre les profondes vallées de l'océan et les ultimes limites de l'univers. Le corps du bateau n'est rien qu'une limace noire luisante qui se recroqueville sur elle-même quand la vague se dresse et s'enroule face à elle tel un oiseau de proie bleu nuit. Disons qu'il s'agit d'un bateau tout à fait banal à l'échelle mondiale, mais que le peuple méritant à peine le nom de nation qui l'a placé sur les eaux terrifiantes des océans voit en lui un gigantesque vaisseau.

Et nous souscrirons sans doute à l'idée puérile qu'un peu de laque marine associée à un nom majestueux suffit à transformer un chalutier en l'une des grandes villes de ce monde – il doit bien y avoir du vrai dans cette illusion.

Le bateau est insubmersible.

Il apparaît maintenant au sommet de la vague. Projeté en avant, il s'attarde un moment sur la crête, tout prêt à se précipiter dans la gueule de l'océan qui l'attend en contrebas, verdâtre et avide. Et juste au moment où nous avons l'impression que l'évé-nement va se produire – précipitant du même coup la fin de cette histoire – la vague se dérobe sous le bateau qui, au lieu de la franchir, reste suspendu en l'air, à l'endroit où il y avait de l'eau l'instant d'avant.

Dans une cabine située sur le deuxième pont gisait un homme qui, plus que tout autre à bord, souffrait de mal de mer et n'avait cure que le bateau s'envole, sombre subitement avec bêtes et gens ou poursuive simplement ses cabrioles et autres sautil-lements. Il avait le mal de mer – et le mal de mer le tenaillait.

On s'approche du mur, on s'éloigne du mur, on

s'approche, on s'éloigne, on roule et on roule d'avant en arrière comme l'ivraie et le grain, comme le grain et l'ivraie. Il enfonça profondément sa nuque dans l'oreiller, si seulement il avait pu maintenir un moment sa tête immobile, sa gorge aurait pu se desserrer. Si sa gorge s'était desserrée, il aurait pu reprendre sa respiration. S'il avait pu reprendre sa respiration, les muscles de son estomac se seraient détendus. Si les muscles de son estomac s'étaient détendus, ses boyaux ne se seraient pas contractés. Et si ses boyaux ne s'étaient pas contractés, il aurait pu maintenir sa tête immobile, ne serait-cc que l'espace d'un instant.

Ainsi en va-t-il en mer.

Mais ce n'était pas seulement ce satané roulis qui lui ôtait tout intérêt pour son environnement : comme tous les marins d'eau douce, il avait l'impression de ne se trouver nulle part quand aucune terre n'était en vue. Et puisque seuls les savants et les fous ont la faculté de se forger une opinion sur ce nulle part, n'étant aucun des deux, il était encore moins quelque part qu'au moment où il avait abandonné son dieu dans les camps de la mort.

C'est de là-bas qu'il venait. Où il allait, il ne le savait pas. Il partait loin, c'était là une feuille de route qui lui suffisait. On s'approche, on s'éloigne, on roule et on roule. Il ne lâche pas la boîte à chapeau qu'il presse contre sa poitrine. C'est une question de vie ou de mort et même ce satané mal de mer ne parvient pas à affaiblir son étreinte. Cette boîte renferme tout ce qu'il possède : un tout petit enfant d'argile ou plutôt ce qui aux yeux de quiconque serait une statuette représentant un enfant. Mais l'enfant n'appartient pas qu'à lui. Et c'est exactement pour cette raison qu'il importe au plus haut point que rien de fâcheux ne lui arrive.

Mais à propos, qui est ce misérable en proie au mal de mer ?

Ah oui, c'est mon père, le Juif Leó Löwe, arrivé ici après avoir parcouru l'Europe à pied et effectué une brève halte dans le petit village de Kükenstadt où il a rencontré ma mère. Il vogue en ce moment sur l'océan en ma compagnie, avec ce tout récent moi-même.

Je m'appelle Jósef Löwe, je suis en argile. Le balancement des vagues ne m'affecte pas. Je dors dans une boîte emplie d'ombre.

Et mon sommeil est profond comme la mort.

L'ARCHE DE TOUBAL

Il s'était allongé aux côtés d'un ange. C'était le dernier souvenir que Toubal avait en tête à son réveil. Ils avaient commencé à se rapprocher lors de sa cent quarantième année, l'ange était nettement plus âgé.

34

La situation peut se résumer ainsi :

Les parents de Toubal le trouvaient étrange et solitaire. Ils n'osaient pas le laisser seul quand ils devaient s'absenter de la ferme. Comme ils le trouvaient si bizarre et qu'il était leur unique fils, il leur semblait pour le moins nécessaire d'exiger de ses sept sœurs qu'elles veillent sur lui pendant leur absence. Son étrangeté n'était toutefois pas l'unique raison de l'attention qu'ils lui manifestaient : ce fils leur était né sur le tard, il y avait peu de chances qu'ils en engendrent un autre. Nafta-kita avait atteint l'âge de huit cent seize ans et sa femme en avait près de sept cents quand le Seigneur avait béni leur union du petit Toubal. L'événement s'était produit de cette manière : un ange du Seigneur était venu annoncer à la femme de Naftakita. « Le Seigneur dit : "Vois, tu es enceinte. D'un fils je te fais don. Tu l'appelleras Toubal." »

Un jour que les parents de Toubal s'absentèrent de leur ferme et qu'ils laissèrent leur unique fils sous la surveillance de ses sept sœurs, celles-ci en eurent assez de jouer aux gardiennes d'enfant. C'était à l'époque où les fils de Dieu étaient descendus sur la terre, prenant femme comme bon leur semblait. Constamment occupées à surveiller leur frère, les sœurs avaient été privées de cette merveilleuse aventure. La benjamine avait cent soixante-dix-neuf ans, l'aînée deux cent quarante-six et elles étaient toutes femmes. C'était là une cruelle injustice. En ce moment, elles discutaient assises dans la cuisine. Toubal était seul dans la salle où il s'occupait à jouer avec une poupée. Ce garçon se contentait de peu et c'est justement de cela que ses sœurs s'entretenaient :

« Il reste là à traînasser ou bien s'installe dans un coin sans s'occuper, observa la première.

– Ils devraient s'estimer heureux qu'il ne soit pas comme les autres garçons qui s'amusent à se tirer dans la figure avec leurs arcs, remarqua une autre.

– Autant qu'il s'amuse avec nos vieux jouets, comme ça, il ne risque pas de se blesser », renchérit une troisième.

À ces mots, un cri déchirant leur parvint de la salle. Les sœurs se dévisagèrent les unes les autres comme un seul homme. Toubal sermonnait la poupée qui s'était toute salie.

« Il n'y a qu'à l'emmener avec nous, suggéra l'une.

– Ils nous tueront, prévint une autre.

– Ce serait mieux que de rester à moisir ici », répondit une troisième.

Toubal apparut à la porte de la cuisine. Il était beau garçon.

« Il n'est pas nécessaire que quiconque s'en aperçoive », trancha la septième.

Ainsi, les sœurs se préparèrent pour aller à la rencontre des fils de Dieu avec Toubal. Une fois qu'on l'eut revêtu d'une robe en cachant sa chevelure sous un voile, il était bien difficile d'affirmer qu'il ne s'agissait pas là de la huitième fille de Naftakita et de son épouse. C'était à l'époque où les anges de Dieu étaient descendus sur la terre.

Les anges-garçons s'étaient installés dans le campement militaire situé à l'extérieur des murailles de la ville. Il y régnait grandes réjouissances, un gardien sévère en barrait la grille. Les sœurs durent user d'œillades afin d'y pénétrer. Elles cachèrent Toubal entre elles et le firent entrer à l'insu du gardien. Au centre du campement militaire se trouvait une place où les sœurs se rendirent afin de s'y montrer.

Les fils de Dieu accoururent les uns après les autres pour les admirer. Amateurs de la beauté des filles de la race d'Adam, ils s'étonnèrent de ne pas les avoir déjà vues. Ces sœurs étant toutes plus belles les unes que les autres, les fils de Dieu les menèrent à leurs tentes sans plus tarder. À dire vrai, ils rivalisèrent même afin d'obtenir les faveurs de la plus âgée, elle qui avait craint de n'être choisie d'aucun.

Il ne restait alors plus que Toubal.

Et l'ange Élias.

Leur attirance ne fut pas immédiate. L'ange prit cette jeune fille timide sous son aile protectrice pour la conduire à l'extérieur de l'enclos des tentes où il attendit avec elle que ses sœurs se soient diverties avec les fils de Dieu. C'était une grande débauche que l'ange cacha aux yeux de la jeune fille à l'aide d'une plume afin qu'elle ne soit pas corrompue. Un jour, l'ange Élias s'adressa à Toubal qu'il croyait être la huitième des sœurs : « Tu as maintenant atteint l'âge de cent soixante ans. »

Et quand Toubal le corrigea, dévoilant qu'il était un jeune homme, ils s'aimèrent. Car l'unique fils de Naftakita et de sa femme aimait l'ange d'amour.

Après tout, ce dernier était fils de Dieu.

Toubal examinait les alentours. Il était couvert de plumes, couché à l'intérieur d'un grand nid coulé dans un trou qui avait été taillé dans un arbre à l'aide d'un gigantesque outil recourbé. En haut de la paroi qui lui faisait face était accrochée sa robe, une magnifique étoffe moirée que Danakit, sa sœur, lui avait laissée en le quittant pour rejoindre les cieux avec Josh, l'un des fils de Dieu auquel elle avait donné un fils : un géant.

Derrière la robe se trouvait une longue fente de taille juste suffisante pour laisser passer une personne svelte. C'était par là que Toubal et Élias étaient entrés, l'ange avait le pouvoir d'étirer et d'allonger son corps dans toutes les directions imaginables. C'était l'une des qualités qui faisaient des anges de bons amants ainsi que de futurs époux prisés, cette faculté alliée à la courtoisie, outre la promesse d'une vie nouvelle et meilleure – si le couple fonctionnait.

Toubal se leva avec difficulté et eut la chair de poule au moment où toutes les plumes tombèrent de son corps. Où était passé son ange ? Cela ne lui ressemblait pas de le laisser se réveiller tout seul après l'amour. Ils avaient pour habitude de rester assis un bon moment dans le nid à discuter de la vie, l'amour, la mort. L'ange connaissait bien les livres des dieux et des hommes. Il transmettait son savoir oralement ou, plus précisément, il nourrissait Toubal avec des rouleaux manuscrits de façon que les événements défilent devant ses yeux à la manière d'une pantomime.

Toubal appréciait particulièrement le récit de la création du monde : surtout la partie où Adam donne des noms aux animaux. Ou encore celle où Dieu cherche une compagne à Adam et où il passe en revue tout le règne animal depuis les papillons jusqu'aux girafes avant que cette idée de femme ne germe dans son esprit. Eh oui, l'ange Élias connaissait chacun des rouleaux par cœur et, par-dessus le marché, il savait tout de leurs auteurs. Ces histoires-là ne déplaisaient pas non plus à Toubal. Que ne faisaient-ils pas, ces écrivains ? Que ne faisaient-ils pas, Élias et Toubal ?

Le sol s'enfonçait sous ses pas, il longea lentement le rebord du nid jusqu'à la robe. Il la tira d'un coup sec vers lui et la pluie lui cingla le visage. Elle entrait en cascade à l'intérieur du trou et Toubal se fit la réflexion qu'il n'avait pas envie de rester là plus longtemps. Il s'avança en direction de la fente et tenta de s'y hisser. Il hésita un instant puis se rappela qu'il était seul. L'ange étant absent, il ne l'attraperait donc pas par les hanches pour le tirer jusqu'à l'ouverture, contrairement à ce qui avait toujours été le cas au cours de leur vie commune.

Toubal était à mi-chemin vers l'extérieur au moment où il remarqua que bien des événements s'étaient produits dans le monde – et non des moindres – pendant son sommeil. Pour commencer, l'arbre penchait étrangement et se balançait. Ce n'était pas comme quand le vent soufflait, non, quand Toubal essuya la pluie qui lui inondait les yeux, il découvrit une mer hérissée de vagues aussi loin que portait son regard. Quant à cette pluie, elle n'était en rien ordinaire. Les cieux se déversaient littéralement sur la terre. Des éclairs d'une taille surnaturelle jaillissaient d'immenses nuages noir de jais et le tonnerre grondait maintenant au-dessus de l'arbre avec une telle violence que Toubal, fils de Naftakita, frère cadet des sept sœurs et amant de l'ange Élias, rentra bien vite se blottir dans son nid à l'intérieur du trou.

Il se cacha le visage dans les mains et se mit à sangloter. Et quand il eut pleuré un bon moment, il étendit la chère robe devant la fente afin de s'abriter de la pluie. Cela fait, il se remit à sangloter. Ce fut son unique activité.

Les jours passaient et Toubal pleurait avec les cieux. Il ne lui venait même pas à l'idée de s'alimenter, mais comme il se trouvait à l'intérieur du domicile d'un être saint qu'il aimait et dont il était aimé, les petits animaux sortirent de l'écorce de l'arbre, rampèrent jusqu'à sa bouche pour descendre dans son estomac. C'était là sa nourriture : les bêtes offraient leur mort en sacrifice afin qu'il puisse vivre.

L'événement suivant fut que la pluie se mit à diminuer et, avec elle, les larmes de Toubal s'asséchèrent. Il se leva en un sanglot et passa la tête à l'extérieur de l'arbre. Bon, ce n'était qu'une averse. Alors il pleura encore un peu. La pluie s'arrêta de tomber et Toubal, de pleurer.

Le monde était recouvert d'eau. Tout ce qui avait respiré avec des narines, tout ce qui avait foulé le sol de ses pieds avait été effacé de la surface de la terre. Toubal comprit que tous ceux qu'il avait connus avaient péri. Il se remit à sangloter.

Mais ses sanglots se murent en un chant quand il constata que les eaux se retiraient. Les vents soufflèrent sur la terre et, en un clin d'œil, des sommets montagneux surgirent de la surface de la mer, tels des archipels.

L'arbre dérivait au gré du vent. Assis dans la fente, Toubal chantonnait comme l'adolescent qu'il était. Un jour, il aperçut un corbeau qui vint se poser à côté de lui sur l'arbre et ils jouèrent à se donner la réplique en croassant. C'était une existence délicieuse. Si l'on excluait les maux de ventre qui allaient en augmentant au fil du voyage. Le jeune homme avait le ventre gonflé. Il attribuait la chose à son régime alimentaire singulier, à ces petits animaux qui se sacrifiaient afin qu'il puisse vivre. Mais voilà, son ventre enflait.

Le corbeau reprit sa route. Son visiteur suivant fut une colombe qu'il attrapa et qu'il mangea. La surface de la terre s'était alors asséchée et Toubal était devenu si encombrant qu'il dormait à la belle étoile, c'est ainsi qu'il avait capturé la colombe. Parce qu'elle était arrivée tel un voleur dans la nuit. On s'approche, on s'éloigne. L'arbre dériva le long des côtes. Toubal voguait sur le vaste océan, en direction du nord.

Un matin, il fut réveillé par un fracas et se leva immédiatement pour aller voir. Il était arrivé sur une île tout entaillée de criques et hérissée de montagnes. L'arbre flottait aux abords d'une gigantesque péninsule. En découvrant les lieux, sa bouche s'emplit d'un doux chant :

A i-aïa, a -aïa
Aïa-a i, aïa-a i
A i-aïa, a -aïa
Aïa-a i, aïa-a i

A i-aïa, a -aïa
Aïa-a i, aïa-a i
A i-aïa, a -aïa
Aïa-a i, aïa-a i

En d'autres termes : « Dieu est le Seigneur ! »

En descendant à terre, il vit que c'était l'ange Élias qui avait maintenu l'arbre à la verticale pendant son séjour dans l'eau. Le corps de l'ange défunt était entouré par les racines de l'arbre comme un ballast, tel un enfant dans les bras de son père.

Alors, Toubal ensevelit son ami et le pleura. Alors, il fut pris par les douleurs de l'enfantement. Alors, il mit au monde deux enfants : Eilífur, dont le nom signifie Éternel, et sa sœur.

C'étaient des géants.

*
**

« Tu as commencé ?

– J'étais en train de planter le décor.

– Et je n'ai rien raté ?

– L'histoire commence en mer. J'en étais à des considérations générales sur la navigation maritime d'aujourd'hui et d'autrefois. J'y reviendrais et tu devrais réussir à t'y retrouver. »

Elle enlève son manteau en cuir vert qu'elle pose sur le dossier d'une chaise du salon. C'est une très belle femme qui sent bon la pluie. Il repousse de la main son assiette avec des restes de soupe de carottes, d'oignons et de choux farcis.

« Je t'offre un café ?

– Je veux bien quelque chose d'un peu plus costaud… »

Elle passe la main dans ses cheveux trempés de pluie.

« Je vais voir si j'ai quelque chose… »

Il prend l'assiette, va jusqu'à la cuisine qui donne sur le salon. Il ouvre le placard sous l'évier pour vider les restes dans le seau à ordures. À l'intérieur du placard, il y a des cadavres de bouteilles de vin ainsi qu'une flasque de cognac. Il jette un œil à la flasque : il semble qu'il y reste suffisamment de « café français ».

« Tu n'imagines pas le genre de journée que j'ai passée. »

La femme se tient à la porte de la cuisine, dos appuyé contre l'encadrement. Elle se gratte le tibia à l'aide de ses orteils en attendant une réponse. Il ne répond rien, mais lui lance un regard en coin pendant qu'il mélange la vergeoise et le café. Elle pousse un soupir :

« Je sais qu'il faut que je me rase les jambes.

– J'aimerais bien que tu ne tardes pas trop. »

Il lui tend la tasse. Tous deux retournent au salon. Elle s'installe dans un fauteuil, face au canapé. Il tripote vaguement les journaux sur la table devant lui. La femme prend une cigarette :

« Je suis prête… »

3

Mon père sortit sa tête de dessous la couette, il grimaça avant de remercier Poséidon de son hospitalité en expulsant de la bile verdâtre. S'il s'était aventuré dans le couloir, il aurait découvert qu'il était dans une ville en modèle réduit avec tout ce qu'on y trouve : les cabines sont autant de maisons donnant sur d'étroites ruelles, le fumoir est un café, la salle à manger un restaurant, la salle des machines une usine, la cabine des commandes un hôtel de ville, le pont supérieur une place publique, les flancs du bateau un rempart et ainsi de suite au gré de l'inspiration du préposé aux métaphores. C'était là une réalité pour lui familière.

Eh bien, en tout cas, il n'eut pas le loisir de s'en rendre compte. Une fois qu'il eut honoré le dieu des mers, il aperçut du coin de l'œil un homme debout dans le renfoncement à côté de la porte. Il n'avait pas souvenir que quiconque fût entré et ignorait par conséquent depuis combien de temps le visiteur était là.

Les deux hommes se toisèrent.

Le visiteur était un Noir robuste, vêtu d'une tunique qui lui descendait à peine à mi-cuisse et dont les manches s'arrêtaient un peu au-dessus du coude. Sa chemise étant ouverte, la lumière bleutée au-dessus de la porte se reflétait sur sa poitrine noire. Aux pieds, il portait des sandales.

Mon père était une véritable épave.

Quelqu'un frappa à la porte de la cabine. Le visiteur se fit tout petit dans le recoin et adressa à mon père un signe lui enjoignant de se tenir tranquille. On frappa une seconde fois et, en l'absence de réponse, la porte s'ouvrit avec violence. Deux colosses en tenue de marin apparurent. Ils scrutèrent l'obscurité, mais ne virent rien d'autre que mon père qui levait sa tête du lit en leur renvoyant un regard vitreux. C'étaient ces hommes-là qui l'avaient embarqué. Ils lui avaient enlevé son anneau d'or qu'ils avaient cassé en deux avant d'en prendre chacun une partie. Que lui voulaient-ils encore ? Il vomit.

À ce moment, le paquebot *Goðafoss* plongea.

Les colosses furent projetés dans le couloir et la porte claqua derrière eux. Mon père reposa sa tête sur l'oreiller. Son hôte était soulagé. Il s'approcha de mon père et s'agenouilla à son chevet. Les deux hommes poussèrent un soupir. Le visiteur s'adressa à lui en anglais :

« Ces gars-là sont complètement dingues, mec,

je sais pas ce que je leur ai fait. Ils léchaient des timbres et tamponnaient des enveloppes dans les quartiers du capitaine. Ils ont disjoncté quand je les ai salués. J'allais danser. Je peux m'estimer heureux d'être en vie, mon vieux. »

Mon père inspira profondément avant de murmurer en allemand :

« Pardonnez-moi, mais je n'y suis pas du tout. »

Le visiteur hocha la tête d'un air compatissant, ce que mon père interpréta comme une invitation à se présenter. Il commença son énumération :

« Né… »

Le visiteur s'y prêta également :

« Ah, c'est là que vous vouliez en venir. Je suis né dans le bidonville de Dream On, un endroit où s'élève aujourd'hui un quartier anonyme d'Atlanta, aux États-Unis. Mon père, Jimmy Brown, prêcheur de l'église pentecôtiste des Noirs de la ville était connu pour manipuler à mains nues les serpents venimeux à la gloire du Seigneur, même s'il s'agissait en réalité la plupart du temps de petits serpents édentés. On m'a baptisé du nom d'Anthony Brown. J'étais âgé de onze ans au moment où je suis allé faire une course qui allait m'entraîner à l'autre bout du monde dans un voyage sans retour.

» Mon père m'avait demandé d'aller chercher quelques pots de lait, le lait constituant l'alimentation de base des serpents qu'il maintenait dans un tonneau d'acier caché dans le meuble à chaussures

47

à gauche de la porte de la salle de bains à cause du manque de place. Le lait les rendait nonchalants et plus faciles à manipuler. Pour ma part, j'avais cessé d'en boire, ayant constaté ses effets sur les animaux qui bien qu'inférieurs à moi étaient nettement plus dangereux. Enfin bref, je marchais le long de notre rue vers le magasin du quartier situé au coin d'une autre rue à quelques pâtés de maisons de là. On y trouvait tout ce dont une famille noire avait besoin, comme du maïs et des haricots rouges.

» Alors que je m'apprêtais à entrer dans la boutique, quelques adolescents la dépassèrent au volant d'une Plymouth noire. Eux, ils étaient blancs. C'était un spectacle des plus rares dans ce quartier de la ville que les gens surnommaient Nigertown à cause du Niger, ce mince filet d'eau qui coulait au milieu de Brookroad, la rue principale, et qui avait échappé au bétonnage à cause de broutilles. En tout cas, c'est l'explication que j'ai eue de mon père quand je lui ai demandé pourquoi le quartier s'appelait comme ça.

» Moi, je n'avais d'yeux que pour cette sublime bagnole, j'étais dingue de voitures comme tous les garçons et je ne voyais rien à redire au fait que des lycéens blancs traversent notre quartier. Je suis entré dans la boutique où j'ai acheté les sept pintes de lait qu'on m'avait demandées ainsi que trois fois trois pouces de grattons de porc, la récompense pour ma commission. Les rillons, j'ai toujours adoré ça, j'espère bien qu'on en trouve en Islande. Sauf qu'au moment où je ressors du magasin, les adolescents ont fait un tour du quartier en insultant les grand-mères, en sifflant les jeunes filles, en crachant sur les vieillards et en balançant des cacahuètes aux gamins. Je tiens à préciser que j'ai su tout cela plus tard et que cela n'a donc aucun lien avec ce qui s'est passé entre eux et moi.

» Pendant que j'étais sur le trottoir à mâchouiller mes grattons, ignorant de toute autre chose, ces garnements sont descendus de leur voiture pour m'encercler. Ils avaient l'air de bonne humeur, moi aussi, d'ailleurs.

» Je leur ai tendu mon sachet de délices :

» "B'jour, vous voulez des rillons ?"

» Et là, ils m'ont sauté dessus. Moi, j'ai réagi comme d'habitude quand des gars me sautaient dessus. Je les ai balancés. J'avais pas envie de leur faire du mal, vous voyez, j'étais bien élevé. Ça a duré jusqu'au moment où il fallait vraiment que je rentre à la maison avec le lait. Mon père n'appréciait pas qu'on traînasse, c'était un dur à cuire, ça traînassait pas là où il était. Et puis, ils étaient furieux, ces gars-là. Je leur ai agité mon sac à provisions sous le nez en disant :

» "Ouais, ouais, les gars, les serpents commencent à avoir faim."

» Ah ça, ça leur a pas plu. Ils ont peut-être cru que je remuais mon sac en signe de mépris, parce que évidemment, je ne l'avais pas lâché. Et là, ils ont attrapé ce qui leur tombait sous la main, des morceaux de tuyau, des bouteilles, enfin mec, j'me rappelle pas trop. Enfin bref, j'ai été obligé de poser mon sac par terre. Et ça a suffi.

» Sauf qu'une fois que j'avais flanqué une raclée à ces voyous et que je savais plus trop ce que je devais faire après, là, d'un coup, je vois debout sur le trottoir un homme âgé rudement bien habillé et, là, j'étais certain que j'allais en avoir pour mon argent.

» C'était mon bienfaiteur. »

Anthony Brown s'interrompit et attendit la réaction de mon père à ce qu'il venait de raconter. Mon père s'était endormi ; du reste, il ne comprenait pas un mot d'anglais. Anthony poussa un soupir, lui enleva la boîte à chapeau des mains qu'il posa sur la couchette du haut et l'empoigna pour le mettre debout.

« C'est pas possible, mon vieux, vraiment, c'est pas possible. »

Mon père fut réveillé par les secousses, mais avant qu'il ait eu le temps de pousser un soupir, Anthony l'avait chargé sur ses épaules. C'est dans cette position qu'il l'emmena de la cabine jusqu'au bout du couloir avant d'en prendre un autre, de monter, de descendre, à droite, à gauche, jusqu'à parvenir à la salle à manger du paquebot où le bal battait son plein. La salle était ornée de ballons de baudruche et d'un enchevêtrement si complexe de guirlandes en papier rouge, blanc, bleu qu'on aurait pu se croire à l'intérieur des entrailles d'une baleine bleue. Au-dessus de la table du capitaine était accrochée la photographie d'un homme à longue barbe grise surmontée d'une plaque de bois portant l'inscription « 17 JUIN 1944 » peinte à la main.

Un orchestre jouait sur une scène à côté de la piste de danse. Un homme déguisé en singe allait de table en table en demandant aux convives : « Qu'est-ce que vous dites de mon idée ? – Pas mal du tout ! » répondaient-ils avant de continuer à boire. Et à chanter. On chantait à toutes les tables, et pas partout la même chanson.

Anthony marcha droit vers la table du capitaine où il se déchargea de son fardeau. Mon père s'affaissa lourdement dans le fauteuil en velours de laine broché à côté de l'imposant dandy Oli Klíngenberg, ténor de son état. Oli rentre au pays.

Il se penche en avant et apostrophe Leó :

« Bonsoir, hein ? »

Ce « hein ? » des plus distingués à la fin de sa réplique, Óli Klíngenberg l'avait attrapé à Vienne. Il y a là-bas nombre de cafés donnant sur des rues passantes ou sur des places publiques. Le serveur n'entend pas la commande du client, pas plus que le

51

client n'entend la question du serveur. Les deux se renvoient donc ce fameux « hein ? ».

Le chanteur avance sa main, dos tourné vers le haut :

« Vous êtes nouveau à bord, hein ? »

Anthony donne une tape sur l'épaule de mon père qui s'affaisse en avant dans son fauteuil. Son visage vient s'appuyer sur le poignet du ténor Klíngenberg qui enlève sa main d'un coup sec, sauvant ainsi le malheureux d'une honte certaine. Les lèvres de Leó ont juste eu le temps d'effleurer le dos de la main du ténor avant qu'Anthony le remette d'aplomb.

« Pour peu, on croirait que je suis le pape ! » s'écrie le ténor en ramenant sa main à lui, libérée de ce baisemain qui n'advint pas. Il lance un regard à son compagnon de table, Georg Thorfinnsen, ancien capitaine du *Miskatonik*. Lui aussi rentre au pays.

« Bien le bonsoir, jeune homme ! »

Georg adressa un signe de tête à mon père qui lui demanda s'il n'avait pas vu sa boîte à chapeau. Le capitaine ne s'en mêla pas, mais lui indiqua toutefois que s'il avait l'intention de se divertir, il lui fallait enfiler son gilet de sauvetage, comme tout le monde. Le maître de cérémonie annonça que l'assemblée allait maintenant chanter l'hymne national islandais, sous la direction du chanteur d'opéra.

« Eh bien, vous me permettez, hein ? »

Dès qu'Óli Klíngenberg se leva, le silence s'abattit sur la salle et tous les regards se posèrent sur lui pendant qu'il se dirigeait vers la scène au milieu de laquelle il s'installa. Il fit une jolie révérence et indiqua au pianiste qu'il pouvait commencer :

Ô Dieu de notre terre, hein ! Ô terre de notre Dieu, euh !

Nous louons ton nom, ton nom si saint, hein !

Les cohortes de ton peuple, engendrées par le temps, han !

Te tissent une couronne avec les planètes des cieux, euh...

Mon père avait perdu connaissance depuis long-temps au moment où les convives reprirent en chœur avec le ténor. Ce ne serait pas demain, ni après-demain, mais après-après-demain que leur mère patrie les accueillerait. Elle en fêterait cer-tains ; d'autres iraient directement en prison et, pourtant, tous rentraient au pays. Mais jusqu'alors, leur existence se confondrait avec la « vie à bord ». L'ensemble de leur existence serait l'écho de cette « vie à bord ».

Mais qu'est-ce que je raconte ? Moi qui n'ai jamais été conscient sur un bateau voguant entre les pays avec un échantillon représentatif de la société humaine à son bord. Je n'en sais rien – mais je me surprends à répéter ces quatre mots galvaudés comme si j'y connaissais quelque chose : « La vie à bord. »

Je les prononce à voix haute, je les laisse résonner dans mon esprit jusqu'à ce qu'ils y éveillent un regret doux-amer apparemment emprunté aux histoires racontées par ceux qui, à juste titre, peuvent se remémorer les temps où les gens s'accordaient à penser qu'assiettes, verres et couverts étaient animés d'une vie propre, agités d'un perpétuel mouvement qui éclaboussait les dames respectables comme de vulgaires clochards. Et que le monde se divisait en deux espèces : d'un côté, *Homo terrus*, pâle et verdâtre, et de l'autre, *Homo marinus*, buriné par le sel.

Il est cependant faux de dire qu'il n'existe que deux espèces.

Je me souviens de Sirius, le chien du bateau. Aux heures des repas, il fallait le tenir à l'œil pour qu'il ne s'introduise pas dans la salle à manger afin de chaparder sa pitance, en cette époque bénie où les passagers se voyaient privés d'appétit. Je me souviens de lui, courant sur le pont supérieur, aboyant après les mouettes qui accompagnaient ce pitoyable village flottant dans son périple au-dessus des gouffres amers. Je le revois flairer à l'intérieur de la cabine des commandes et je le revois, attaché dans la cabine de l'aide-cuisinier, quand on essuyait du mauvais temps. Sirius, si j'avais parcouru les mers avec toi, je t'aurais pris dans mes bras, même dégoulinant d'eau de mer. Nous aurions couru partout sur le bateau jusqu'à ce que quelqu'un en ait assez et décide de nous séparer un peu. Et au moment de nos retrouvailles, je t'aurais donné en douce un petit morceau.

Sirius, mon fidèle féal et véritable ami. Me voilà garçonnet de sept ans et toi, le chien de l'équipage, tu es mon ami. Et nous, les deux copains : matière à quantités d'histoires pour petits garçons.

Sous le ciel austral, le soleil se couche. Les tambours des indigènes annoncent l'arrivée de la nuit et de danseuses qui se déchaînent à la lueur d'un feu de camp. Mon père, le capitaine, a l'œil qui scintille au moment où la fille du chef de la tribu lui adresse un sourire. Je commence à connaître ce scintillement, ce qui est également ton cas, Sirius. Nous savons tous les deux que s'il lui obéit, demain, il sera de bonne humeur quand le bateau lèvera l'ancre. Alors, il sera tellement de bonne humeur, mon petit papa. Et quand il est de bonne humeur, il m'autorise à prendre la barre. Il me pose sur une caisse devant le gouvernail et je vogue à toute vapeur en quittant l'île d'où les indigènes agitent les mains en signe d'au revoir : *aloha*.

Et un matelot venu d'un pays loin au nord est assis à la poupe du navire et les remercie en notre nom à tous en jouant une valse de marins islandais sur son ukulélé qu'il a échangé contre un canif. Un jour nouveau se lève sur l'existence du petit mousse et de son chien. Au-delà de l'horizon lointain, une foule d'aventures passionnantes les attendent :

Lumière dans les abysses. Jósef découvre des documents indiquant que des nazis s'apprêtent à attaquer la cargaison du bateau de son père. Jósef parviendra-t-il à trouver la position de leur sous-marin et à empêcher les nazis d'attaquer ? Et qui est donc cet homme borgne qui va de maison en maison à la faveur de la nuit ? Un livre à dévorer pour les jeunes garçons de sept à soixante-dix-sept ans.

La chambre froide. Jósef et Sirius apprennent l'existence d'un complot ourdi par un ancien général du IIIe Reich visant à mettre à nouveau l'Europe à sa botte. Est-il possible que les Alliés n'aient jamais trouvé « l'arme fatale » des nazis ? Quelle est cette chambre froide, où est-elle et quel est son secret ? Un livre plein de suspens par l'auteur de *Lumière dans les abysses*.

Menaces d'orage sur l'hémisphère Nord. Quand le capitaine Leó accepte de transporter une cargaison d'or sur les étendues glacées de l'Arctique, ni Jósef ni Sirius ne se doutent de ce qui les attend. Les étranges lumières aperçues dans le ciel se révèlent bien plus que de banales aurores boréales. S'agit-il d'extraterrestres qui suivent la route des brise-glace ? Et surtout, ces créatures viennent-elles en amis ? Un nouveau livre pour les admirateurs des aventures de Jósef et Sirius.

La vengeance de l'homme borgne. Quel n'est pas l'étonnement de Jósef à son retour dans sa ville natale quand il découvre que son vieil ennemi juré y est devenu simple citoyen. Faut-il se fier aux apparences ? Et puis, qui se cache donc derrière cette série de crimes qui sème l'épouvante parmi les habitants ? La série des histoires de Jósef et Sirius a depuis longtemps conquis l'esprit et le cœur des jeunes garçons de sept à soixante-dix-sept ans.

Le loup-garou de Tasmanie. Que doit croire Jósef quand une tribu pacifique d'indigènes de Tasmanie vient lui demander son aide pour expliquer la mort d'un loup-garou ? Est-ce là simple superstition de sauvages ? Ou bien est-il possible que la station atomique présente dans les environs cache un lourd secret ? Le cinquième opus des aventures de Jósef et Sirius ne manquera pas de surprendre jusqu'aux amateurs les plus inconditionnels.

Tu me manques, Sirius, jamais tu ne m'as autant manqué qu'en ce moment où je dois te quitter afin de poursuivre l'histoire de mon père. Même si elle connaîtra probablement un destin comparable à celui des histoires pour petits garçons. Une fois que la guerre ne fut plus digne d'être racontée dans des livres ou plutôt que l'intérêt du petit garçon occidental moyen se porta sur d'autres objets et d'autres méchants, les écrivains s'adaptèrent à l'époque et à leurs lecteurs.

Le paquebot poursuit sa route. Haut dans le ciel plane une nuée de petits oiseaux. Ils sont poussés par le vent, dans la même direction que le bateau, le nord-ouest.

Ils sont noirs et crient :

« Cui, cui ! »

« Ne devrait-on pas bientôt apercevoir la terre ? »

III

(18 JUIN 1944)

4

L'odeur de la bouillie de flocons d'avoine se répand dans la maison et vient caresser les narines du garçon qui dort dans sa petite chambre au grenier. Il se réveille complètement, soulève la couette, sort du lit puis vérifie que ni les draps ni son pantalon ne sont mouillés. Non, il n'y a rien : il est satisfait de lui. Il sautille jusqu'à la chaise et commence à enfiler ses vêtements qui l'attendent, pliés sur l'assise. C'est sa sœur qui les y a posés hier soir. Un sourire effleure sa bouche finement dessinée quand il constate qu'elle a eu le temps de repasser son nœud papillon. Il le noue autour de son cou, étire les manches de sa chemise puis soulève le battant et descend par la trappe.

La chambre de sa sœur est ouverte, mais elle n'est pas là. La porte de celle de son père est entrebâillée. Il n'y a personne non plus, le lit est en désordre. Le garçon continue à descendre l'escalier, guidé par la promesse de cette délicieuse bouillie. Personne ne la prépare aussi bien que sa sœur. Dans son esprit, elle est d'une taille et d'un poids qui n'ont aucune commune mesure avec leurs trois années de différence d'âge. Elle s'est occupée des besoins quotidiens du foyer depuis la disparition de leur mère : leurs deux parents effectuaient une traversée organisée par l'Association de natation d'Islande vers l'île de Drangey quand brusquement, en un clin d'œil, leur mère avait disparu du pont et de la foule des autres passagers.

Leur père avait perdu goût à toute compagnie humaine à la suite de cette tragédie et s'était plongé, solitaire, dans les manuscrits qu'il décryptait sur les tables éclairées prévues à cet effet au sein de l'université d'Islande.

La jeune fille s'occupait de son père et de son frère.

Par conséquent, le garçon sursaute en voyant que c'est son père, le spécialiste en manuscrits, et non sa sœur qui tourne la cuiller dans la casserole. Sa sœur et lui ont l'habitude de prendre leur petit déjeuner ensemble alors que leur père mange un casse-croûte au cimetière avant d'aller à son travail – et ce, même les jours fériés. Mais bon, aujourd'hui, c'est le vieillard qui surplombe la casserole du haut de ses deux mètres, tenant la cuiller telle une aiguille de bourrelier entre ses doigts imposants et qui remue la bouillie l'air de rien.

« Bonjour ! annonce le garçon en s'asseyant à la table de la cuisine.

– Que chacun parle pour soi… »

Le vieil homme passe sa main inoccupée à travers sa chevelure blanche qui lui tombe librement sur les épaules comme une chute d'eau écumante, avant de se détourner brusquement de la cuisinière et de remplir le bol de son fils. Ses mouvements sont d'un tel naturel que si cet homme n'avait pas été maintes fois sacré champion de natation, le garçon aurait pu s'imaginer qu'il avait passé toute sa matinée à s'exercer à servir la bouillie. Mais il ne dit rien et se contente de prendre sa cuiller. Son père repose bruyamment la casserole sur la plaque et parvient en même temps à attraper dans le réfrigérateur la petite bouteille de crème dont il asperge la bouillie.

« Grand bien t'en fasse ! »

Cet événement marque le début d'une étrange journée dans la vie du garçon. Dehors, les habitants de la ville s'apprêtent à célébrer le fait qu'hier, ils sont devenus un peuple indépendant, avec un président complètement islandais. Ce dernier n'a évidemment rien du président Jón Sigurðsson, dont le portrait orne la première série de timbres qu'édite la nouvelle nation indépendante au grand dam de son ancien dominateur. Non, c'est une personne qu'ils connaissent encore moins que le roi déchu, que la plupart des sujets en âge de voter avaient pourtant vu lors de sa visite officielle dans le pays en mil neuf cent trente-six et dont ils se rappellent les exquises manières à table. (Quant à sa poignée de main, elle était véritablement ferme et dénuée de toute timidité.) Mais au fait, depuis quand le peuple connaît-il celui qui porte son étendard ?

Le nouveau président est une sorte de fonctionnaire : même le contour de ses yeux est sombre. Mais personne ne trouve à s'en plaindre – il s'arrange pour faire croire aux gens qu'ils n'ont rien à craindre de cet infect cloaque peuplé de fantômes qu'est le présent. Cela, le garçon le sait parce que son père le lui a dit.

« Oh, où est-ce qu'elle peut donc être, ta sœur ? »

Le vieux a éteint le feu sous la casserole et tient à la main un pichet d'eau de deux litres. Lançant un œil par-dessus son épaule, le garçon voit son père y verser le contenu de deux bouteilles de *brennivín**.

« Évidemment, elle ne s'est pas imaginé que nous allions bouger d'ici… »

Le garçon ne sait pas quoi répondre et le vieux le tire d'embarras.

« Mais non, mon petit gars, elle est comme votre mère. Elle a compris que n'importe qui n'est pas invité à leur grande fête de l'indépendance. Et que dans ce cas-là, il vaut mieux être absent… »

Il se laisse tomber sur le tabouret en face du

---

garçon, boit au pichet, vidant la moitié du *brennivín*.

« Comme si ça ne me suffisait pas d'avoir servi de modèle au petit Tryggvi, habillé de ce foutu sac en toile de jute, hein ! »

Il caresse sa barbe claire qui lui descend un peu en dessous des tétons et qui semble taillée dans la laine d'un bélier primé au concours agricole.

« On croirait presque que je me suis laissé pousser la barbe et que j'ai pris du poids, histoire d'avoir mon portrait sur les armoiries de gens incapables de voir la différence entre un dragon et un serpent. »

Il s'essuie la bouche avec le dos de la main puis affiche une grimace digne d'un homme qui aurait trois rangées de dents.

« Eh bien non, "consigné chez lui qu'il va rester" le géant des montagnes, comme diraient les habitants de Skuggahverfi, le quartier des Ombres. Eh, oui, "consigné chez lui qu'il va rester". Pourquoi donc, je vous le demande, pourquoi diable irait-on s'enquiquiner à changer les armoiries nationales ? Les anciennes conviennent nettement mieux au ramassis de merdeux que je croise tous les jours : le taureau rappelle une brebis mal tondue, l'aigle un coq déplumé, le dragon un roquet hors d'haleine et le géant des montagnes un acteur en colère à la recherche de sa réplique. »

Le vieux tape du poing sur la table, envoyant tout

valdinguer. Le garçon ne parvient plus à avaler sa bouillie. Il est éjecté de sa propre histoire, celle où il est un gamin de Reykjavík âgé de quatorze ans qui sort dans la rue en cette deuxième journée d'existence de la toute nouvelle république pour aller rejoindre quelques mômes de son âge. Ils se retrouvent pour fumer une sèche ensemble à l'abri du mur de l'école du quartier Est avant de descendre en ville pour assister à la préparation des festivités. Ensuite, ils remontent en courant jusqu'au camp militaire américain d'Ingólfskamp pour récupérer de la gnôle auprès d'un soldat qui ne leur demande rien de plus qu'un bisou sur la joue en échange de la flasque. Et la journée s'écoule ainsi, toute en menues sottises et amusantes facéties. Ils mangent un morceau dans une guérite ou bien dans un boui-boui, enfin vous voyez, ce sont les grandes vacances et ils ont un travail pour l'été. Ce soir, ils iront au bal pour regarder les filles et ils espèrent bien que les filles les regarderont aussi.

Eh bien non, ce n'est pas ainsi qu'il en ira pour le garçon. Le protagoniste de cette journée est son père, âgé de quatre-vingt-deux ans – quant à lui, il se voit relégué au rang de personnage secondaire, si ce n'est à celui de simple spectateur. Le vieillard cherche à tâtons sur le sol. Il attrape une imposante canne en chêne.

« J'ai quand même pu garder cette foutue canne… »

Il la fait tournoyer au-dessus de sa tête, brisant le lustre qui surplombe la table.

Une pluie de morceaux de verre s'abat sur le père et le fils.

**

LE VIEIL HOMME ET LA JUMENT

La mort de ton grand-père est survenue comme suit.

En dépit des protestations d'ouvriers imbéciles, il avait exigé que soit ferrée une jument complètement folle dont tous s'accordaient à dire qu'elle n'était bonne qu'à la boucherie. Persuadé qu'elle était la douceur personnifiée, il l'avait même baptisée Cendrillon, histoire d'enfoncer le clou.

Une fois que les hommes eurent poursuivi la jument à travers champs et landes, en lançant des « ho ! ho ! » et en agitant les bras comme s'ils avaient là découvert quelque moyen de dompter la nature elle-même, ils parvinrent à coincer l'animal dans l'enclos où l'on ferrait les chevaux. Mais là, il n'y avait plus personne pour oser s'en approcher. Ce fut donc à ton grand-père, ce vieillard né au mois de septembre de l'an mil sept cent soixante-dix-huit, qu'échut la tâche de la ferrer.

Bon, après avoir envoyé les pleutres voir là-bas

s'il y était – et même plus loin que ça – ton grand-père s'approcha doucement de l'animal en tenant dans sa main un fer à cheval à la Steingrímur. C'était une invention personnelle à laquelle il avait donné son nom. Après moult cajoleries et menaces, il parvint à passer le fer à la patte arrière gauche de la jument. Il tira le sabot jusqu'à lui, mit le fer en place et y enfonça le premier clou – cependant, au moment où il s'apprêtait à asséner le premier coup de marteau, la jument jugea que ce n'était pas son heure à elle, mais celle du vieil homme qui avait sonné : elle se libéra du fer à cheval en lui décochant un magistral coup de pied à la tête qui lui fit décrire un large salto arrière avant d'atterrir au pied du mur de la ferme.

Le colosse qu'était ton grand-père se remit alors debout sans l'aide de personne, il lança un regard perçant à l'assemblée qui le fixait avec insistance, debout en arc de cercle autour de lui et éructa :

« Qu'est-ce que vous avez donc à me zyeuter comme ça, bande de petits crétins ? »

Avant que quiconque ait eu le temps de lui dire que la jument lui avait fiché le clou du sabot au beau milieu du front, il perdit connaissance. La première chose dont le guérisseur Haraldur Skuggason s'acquitta en venant le visiter fut de demander qu'on lui apporte un arrache-clou.

Pendant quelques jours, les gens se relayèrent pour essayer d'enlever le clou. Évidemment, c'était comme pisser dans un violon : la jument descendait de Nykur* du lac de Kappastaðavatn et ton grand-père de Tröllaskagi, la péninsule des Géants. Il advint alors qu'au troisième jour, il s'assit dans son lit et s'écria avec une telle puissance que les gens occupés aux foins dans les champs alentour levèrent les yeux de leur labeur :

Viking qui s'éveille,
Au froid de février
Avidement attend
Qu'on vienne le restaurer.

Une jeune fille était alors chargée de s'occuper de lui. Le malheur voulut que ce fût elle qui lui donna à boire le petit-lait de jour comme de nuit. Le clou assoiffait tant ton grand-père qu'il buvait sans cesse, mais seulement si c'était ta grand-mère qui lui apportait le breuvage.

Une nuit, elle en eut assez d'abreuver le bonhomme. Elle attrapa la pince posée sur un coffre à côté de son lit. Elle s'assit à califourchon sur le vieillard et coinça le clou dans la pince. Au bout de quelques va-et-vient, le sang gicla en l'air tel un geyser, éclaboussant ta grand-mère. Tu t'imagines aisément la suite.

De fait, le sang n'est pas la seule chose à avoir jailli de ton grand-père.

Eh oui, c'est ainsi qu'a été engendré ton père. Ce qui explique ta présence ici !

**
*

La journée s'écoule donc plus ou moins ainsi.

Le vieillard se traîne dans la maison, parvenant à rendre l'âme dans chacune des pièces, mais se relevant aussitôt d'entre les morts dans l'unique but d'aller retomber ailleurs. Et à chaque résurrection, il recommence à raconter à son fils la manière dont il a été engendré. Par intermittences, il s'écrie que ce n'est pas le fruit du hasard si c'est lui et nul autre Islandais vivant qui a été choisi comme modèle pour les armoiries revisitées de la jeune république. Le garçon le suit à la trace afin de s'assurer qu'il ne se fasse aucun mal. Comme s'il avait le pouvoir d'empêcher le géant de casser sa pipe ou de le protéger des obstacles qui croisent sa route. À ses amis, il raconte que le vieux est malade.

D'habitude, c'est sa sœur qui surveille les allées et venues du vieillard dans la maison. Alors, le garçon s'enferme dans son grenier, enfile son passe-montagne afin d'atténuer les bruits provenant des étages inférieurs et se penche sur sa collection de timbres. Le vieux trouve que c'est là une occupation stupide.

Voilà maintenant le père et le fils dans la salle de bains. Le vieux est assis sur le rebord de la baignoire et brandit son poing en direction de la fenêtre. Le brouhaha des festivités s'infiltre par la fente au-dessus de la vitre du haut à droite. Il se lève d'un bond, met ses mains en porte-voix et crie à l'intention des gens endimanchés qui descendent vers la place.

« Vive la république des béotiens ! »

Le garçon tire le rideau devant la fenêtre. Il sait que cela n'a rien à voir avec le fait que le vieux n'a pas eu droit à une place d'honneur et à une couverture de laine lors de la grande cérémonie de Þing-vellir ni avec le fait que personne ne l'a invité à participer à un « tableau vivant » représentant les armoiries nationales sur la place Lækjartorg. Non, il est furieux parce que son fils ne suivra pas ses traces de champion de natation, en outre, il soupçonne sa fille de fréquenter un soldat américain. Le garçon, quant à lui, sait que c'est parfaitement vrai.

Tout comme il sait qu'il a cessé de mouiller son lit au moment où il s'est tranché une phalange au majeur de sa main droite, le jour où il devait commencer l'entraînement au club de natation Ægir.

IV

(11 MARS 1958)

5

La première créature qui s'éveille en cette matinée est une chèvre noire couchée au pied du mur d'un appentis dans l'arrière-cour d'une respectable maison de bois donnant sur une rue en léger surplomb du centre d'une petite ville tapie au fond d'une baie sur une île située au milieu de l'Atlantique Nord.

Elle se met debout sur ses pattes et promène ses yeux jaunes sur le monde qui l'entoure. Chaque chose est à sa place, baignée dans la clarté rosée de l'aurore. L'eau rougeoie dans le seau rempli à ras bord au coin de l'appentis. C'est là-bas que va la chèvre.

Une fois qu'elle a bu tout son soûl, une mouche printanière et précoce vient se poser sur elle. Elle s'en débarrasse d'une simple secousse puis avance en boitillant jusqu'au numéro huit de la rue Ingólfsstræti.

Maintenant, elle a faim.

Leó Löwe se trouve à l'intérieur de la Galerie nationale d'Islande à l'occasion du vernissage de l'exposition de photographies intitulée : « Visages des Islandais. » Le ministre de l'Éducation prononce un discours où il explique comment les paysages et les intempéries ont façonné l'âme de la nation – et la manière dont cette âme affleure sur l'apparence du peuple. Il parle sans notes, les mots poussent sur sa langue comme autant de renoncules des glaciers sur les cimes. Il n'est pas bien haut de taille ; du reste, les grands hommes sont toujours plus petits que leurs pensées. C'est ce qui fait la beauté de ce discours d'inauguration :

« Cette union de la terre et des gens, cette histoire de l'homme alliée à celle de la nature, cette épiphanie, le photographe les saisit en l'espace d'un unique instant. Grâce à la magie de la technique, l'objectif de l'appareil s'ouvre pour saisir la réalité : l'homme et la terre se confondent. L'Islande s'adresse à nous à travers ces visages qui se sont maintes fois tournés vers les sommets immaculés des montagnes, les rivières de lave incandescente et les landes bleuies par les myrtilles. De génération en génération, notre nation a célébré sa terre, ce qui a façonné son visage rayonnant et limpide. »

Le ministre ménage une pause dans son discours et l'assistance remercie par de timides applaudissements. Il se tourne vers le photographe, un homme de haute taille avec un regard d'aigle et pose sa main sur son avant-bras. Le photographe reste immobile puis penche légèrement la tête de côté, indiquant par là au ministre qu'il veut maintenant entendre la suite. Le ministre retire sa main du bras de l'artiste, la laissant un instant suspendue en l'air.

« À dire vrai, ce ne sont pas seulement les fils de l'Islande d'aujourd'hui qui nous contemplent depuis ces clichés, non, quand nos yeux croisent les leurs, c'est dans le regard de l'Islande millénaire que nous plongeons. Et nous nous demandons s'ils sont satisfaits de ce qu'ils voient… »

(Pause rhétorique.)

« Oui, nous nous demandons si nous avons convenablement suivi la route tracée par eux. Monsieur le président, mesdames et messieurs, je déclare l'exposition "Visages des Islandais" ouverte.

Les applaudissements retentissent maintenant avec vigueur ; le photographe s'incline devant le président, le ministre de l'Éducation et l'assistance dont la plupart des membres ont leur portrait dans l'exposition. Les gens piétinent dans la salle à la recherche d'eux-mêmes, ce que fait également Leó Löwe. Les murs de la Galerie nationale sont couverts de clichés représentant la plupart des Islandais actuellement vivants, classés par région et par village, excepté pour Reykjavík où ils sont alignés par rue, dans l'ordre alphabétique.

Dans la salle en arc de cercle qui abrite les habitants de Reykjavík, Leó tombe par hasard sur l'anthropologue qui a suivi le photographe au cours des trois années qu'a duré son voyage à travers le pays. Il est en compagnie d'hommes tous vêtus de tweed qui arborent un nœud papillon : ce sont d'éminents universitaires.

L'anthropologue les domine tous, avec ses cheveux argentés et sa barbe poivre et sel grossièrement moulue. Ils sont tout excités, certains ont allumé une cigarette. L'anthropologue leur raconte une anecdote truculente. Il s'exprime dans une langue imagée, en géminant les consonnes, il presse les mots à travers ses dents serrées comme s'il avait une tête de truite à moitié mâchouillée dans la bouche.

« Il faut que je vous montre un petit quelque chose... »

L'anthropologue leur fait signe de le suivre, les emmenant à l'autre bout de la salle où les lettres I et H sont peintes à la main en noir sur le mur. Leó leur emboîte le pas et voit l'anthropologue chercher du doigt un visage précis sur le mur pendant que le groupe s'impatiente.

« Ing-ing-ing-ing... »

L'index plane au-dessus des photographies.

« Ingólfsstræti ! »

Le doigt s'immobilise sans que Leó voie précisément à quel endroit car les membres de l'université se sont penchés en avant comme un seul homme – et ils restent muets. Leó s'approche, il réside justement dans Ingólfsstræti. L'anthropologue attend la réaction de ses compagnons, il espère les voir pleurer de rire : pour sa part, il s'esclaffe. Mais, au lieu d'être tordus de quintes tels des épis de blé au vent, les costumes de tweed se redressent lentement et s'adressent des regards gênés – en évitant celui de l'anthropologue. Et une fois qu'ils ont remis d'aplomb leurs nœuds papillons, ils découvrent qu'une jeune fille portant un plateau de verres est arrivée à leur rescousse.

L'anthropologue reste tout seul avec son rire inutile en travers de la gorge. Peut-être Leó pourrait-il s'esclaffer avec lui ? Après tout, ce n'est pas parce que l'anthropologie laisse souvent les gens froids avec son humour des plus spéciaux qu'il faut en vouloir personnellement à cet anthropologue-là. Leó s'approche du mur. En effet, oui, ce sont bien ses voisins. L'anthropologue glousse toujours.

« Mieux vaut le prendre avec des pincettes. Voyons voir : 2, rue Ingólfsstræti, voici le numéro 3, le 4 (là, il n'y a personne, c'est l'ancien cinéma), le 5, le numéro 6 (tiens donc, il manquerait Hjörleifur ?), numéro 7… »

Leó va bientôt arriver à la maison qu'il occupe quand l'anthropologue éclate d'un rire terrifiant :

« Mêêh, mêêh… »

Il reprend sa respiration et tourne sa langue dans

sa bouche en voyant Leó qui lui lance un regard encourageant. Leó cherche sa photographie sur le mur. L'anthropologue hurle de rire. À ce moment-là, le regard de Leó se pose sur le cliché qui le représente : le cartel porte son nom tapé à la machine en lettres bien nettes en dessous du cadre noir :

« Leó Löwe, contremaître. »

Ce n'est absolument pas lui, mais son gros orteil, que l'image représente. Celui-ci occupe tout l'espace avec son ongle noir déformé et quelques poils grossiers enchevêtrés sur le dessus.

« Mêêh, mêêh, mêêh… »

L'anthropologue bêle en montrant Leó du doigt. Les autres membres de l'assistance s'approchent, accompagnés du président et du ministre de l'Éducation. Le photographe approche ses lèvres au plus près de l'oreille de Leó pour y chuchoter :

« L'homme est ce qu'il voit…

– Mêêh… »

« Mêêh, mêêh, mêêh… »

La chèvre s'est coincé les cornes dans la fenêtre de la chambre à coucher de Leó. Elle a mangé tous les fuchsias posés sur le rebord et voudrait bien retourner batifoler dans le matin, ce qui ne va pas sans mal.

« Mêêh… »

Leó s'ébroue, chassant l'anthropologue autant que le sommeil. Il s'assied dans son lit. La tête de la chèvre est cachée par le rideau ; l'animal se débat, désespéré. Il donne des coups de sabot dans la vitre avec ses pattes avant, expulse furieusement l'air par les narines. Le pot de fleurs traverse le rideau comme une flèche et atterrit sur le lit de Leó ; terre et poussière neigent sur l'homme qui s'éveille :

« Il faut que je règle ça avant qu'elle ne descelle la fenêtre. Elle commence à me porter sur les nerfs… »

Se levant d'un bond, il écarte les rideaux. La chèvre sursaute en voyant l'homme. Elle s'affole et les copeaux du cadre de bois s'envolent. Leó avance sa main pour défaire le crochet, mais la chèvre le chique. Il ramène sa main à lui et elle s'attaque à nouveau au bois. Il avance sa main, elle le chique. Et ainsi de suite.

On entend un bruit de pas à l'étage. M. Thorsteinson, membre de l'Association des propriétaires de Reykjavík et propriétaire de l'appartement de Leó, vient de se lever. Il n'apprécie pas beaucoup cette chèvre. Si elle n'était pas son alliée dans la bataille qu'il livre contre l'idée qu'a Mme Thorsteinson de transformer la petite cour à l'arrière de la maison en un jardin d'agrément, il y a belle lurette qu'il l'aurait renvoyée paître sur les tas d'immondices.

Cela, Leó le sait bien même si la chèvre l'ignore. Elle continue comme si de rien n'était et finit par le mordre. Il pousse un hurlement muet, plonge sa main sous son aisselle, se précipite à la cuisine où il attrape un pot de persil qu'il apporte à son bourreau. Cela suffit à calmer la chèvre. Elle prend son repas et Leó parvient à soulever le crochet de la fenêtre avec sa main libre. Il libère la tête de la chèvre, suivie du pot de persil.

La chèvre est violette sous le soleil matinal et ses mamelles qui se pressent contre ses pattes arrière sont d'un rose tendre.

Il en va ainsi quand on est une chèvre.

« Quelle drôle de description pour une chèvre ! »

La femme se renverse en arrière sur le canapé en arrangeant sa robe sur son ventre – avec une lueur dans le regard. Mais le narrateur prend la mouche. Une larme perle à ses yeux :

« Je dois plus à cette chèvre qu'à la plupart des êtres humains.

– Oui, oui…

– Mon père l'a trouvée quand elle était encore toute jeune. Il marchait le long de la Côte de l'Or

avec Pétur Salómonsson Hoffmann, roi sans couronne des tas d'immondices de Reykjavík, quand
tout à coup, ils entendirent un vacarme impressionnant s'échapper d'un carton frappé aux couleurs
d'un négociant en café dont nous tairons le nom.
Pétur refusa de s'approcher de la caisse, arguant
qu'il ne voulait pas être mêlé à ces trucs de francs-
maçons, ça n'apportait que des embrouilles, pour
autant qu'il ne s'agisse pas d'un ondin ou d'un
triton. Mon père, en revanche, ne craignait ni les
francs-maçons ni les monstres marins. Il ouvrit le
carton et regarda droit dans les yeux jaunes de la
créature abandonnée qui avançait son menton vers
lui en poussant un adorable bêlement.

» Il délivra le chevreau de sa torture, le prit
contre sa poitrine en disant à son compagnon qu'il
avait trouvé là un pur diamant. Pétur haussa les
épaules : "Les chèvres sont des brebis difformes qui
ne comprennent même pas l'islandais.

» – Je la garderai malgré tout." Leó serra
l'animal plus fort contre lui et se prépara à une
longue discussion sur les caprins. Il s'était déjà dis-
puté avec des Islandais pour moins que ça. Mais la
discussion n'advint pas. Pétur tomba sur un anneau
en or serti de pierres précieuses.

» Il dégagea la bague de la terre, la tendit à Leó en
lui demandant si c'était cela qu'il cherchait. Non,
ce n'était pas la bague en question. Sa bague à lui
était encore en la possession de voleurs et en deux

morceaux. Pétur lui promit de continuer à chercher pour lui – même s'il ne voyait pas ce que cette fichue bague avait de spécial, après tout, de l'or c'est de l'or.

» Bon, le chevreau était aussi noir qu'un morceau de charbon et fut baptisé Heiða. Quant au lait de chèvre, c'est la nourriture des héros.

– Je n'irai pas te contredire là-dessus. »

*
* *

Leó bande sa blessure et pousse un profond soupir au moment où il aperçoit dans le miroir son costume pendu à la porte des toilettes. Aujourd'hui, il avait l'intention de se mettre sur son trente et un, jamais il n'aurait été plus chic qu'en ce jour. Et voilà maintenant que cette main bandée se présenterait tel un rébus à quiconque croiserait sa route. Tout le monde allait lui demander comment il s'était blessé. Qu'allait-il donc répondre ? Qu'il avait été mordu par une chèvre ? Cela ne ferait qu'entraîner d'autres questions qui en entraîneraient d'autres, auxquelles il n'avait aucune envie de répondre.

Leó décroche le costume de la patère sur la porte des toilettes pour en retirer la poussière imaginaire. Le moindre grain n'a jamais eu le temps de s'y déposer. Chaque samedi matin, il le sort pour le brosser. La tentation de le revêtir était grande, surtout les premiers temps, mais il s'était retenu : rien ne devait venir gâcher l'instant au moment où il arriverait enfin. Ce costume a été coupé chez un tailleur, il est en laine noire et possède trois boutons et quand il enfile le pantalon, Leó constate qu'il a maigri depuis qu'il l'a acheté.

Aujourd'hui, c'est le grand jour pour lequel ce vêtement a été taillé.

Leó remet la bouilloire à chauffer. Il sort une bouteille de lait du réfrigérateur et prend l'éponge sur le rebord de l'évier, il essaie d'attraper les deux en même temps, mais n'y parvient pas à cause de son bandage. Il verse le lait dans une assiette creuse et place l'éponge au centre. Il emporte tout cela dans l'arrière-cuisine.

Leó avance à tâtons dans le noir avec sa main blessée. À part ce qu'on est susceptible de trouver dans toute arrière-cuisine, il y a là tout un ensemble d'ustensiles en cuivre. Le plus gros d'entre eux est posé sur une simple plaque électrique. Ça bouillonne à l'intérieur et des gouttes tombent de l'alambic qui va d'un récipient à l'autre avant de se terminer par un goulot qui s'amenuise jusqu'à devenir presque invisible. Leó inspecte le goulot : une minuscule goutte y scintille et, dans le verre de cristal posé en dessous, on distingue une tache dorée de la taille d'un ongle d'enfant : l'alchimie est un art qui exige du temps.

Il repose le bol et passe sa main sur l'étagère supérieure le long du mur, enlève quelques pots de confiture qu'il range sur celle du dessous. C'est alors qu'apparaît mon berceau, une boîte à chapeau d'un âge certain qui a été transbahutée ici et là. Il se soulève sur la pointe des pieds, passe sa main valide en dessous, la soupèse afin de vérifier qu'il a assez de force pour l'enlever de l'étagère sans risquer de la faire tomber. Le rituel commence.

Il porte prudemment la boîte jusqu'à la table en bois à côté de la porte, il retire le couvercle et l'installe de façon que le contenu apparaisse dans le rai de lumière qui s'infiltre dans l'arrière-cuisine par l'espace entre la porte et son montant :

« Alors, mon petit Jossi, comment allons-nous aujourd'hui ? »

Leó effleure à peine mon front du bout des doigts afin de ne rien abîmer. Il tend sa main vers l'assiette de lait, essore l'éponge puis commence à me laver. Il caresse doucement mon corps gris d'enfant et l'argile dont j'ai été façonné absorbe le lait blanc bleuté de la chèvre qui s'infiltre en moi tel l'amour maternel que je n'ai jamais connu.

Il me retourne pour passer l'éponge humide dans mon dos et sur mes fesses. Il essore le surplus sur mon torse puis le fait pénétrer sur le côté gauche en haut de ma poitrine afin que mon cœur reçoive son tribut. Il s'est livré à ce rituel soir et matin au cours des quatorze années qui se sont écoulées depuis qu'il a été débarqué à Reykjavík. Mais à partir d'aujourd'hui, Leó peut commencer à récupérer l'or dont il aura besoin afin d'éveiller à la vie le petit bonhomme couché dans la boîte à chapeau. Cet or ajouté à celui qu'il est parvenu à fabriquer suffira à la confection d'un nouveau sceau.

« Allez, mon petit gars, papa sera rentré à la maison pour dîner et là, nous serons devenus des Islandais, toi et moi. »

Il se retourne dans l'embrasure de la porte :

« Des Islandais, mon petit Jossi, tu t'imagines ! »

6

Ce fut un mardi que mon père porta au ministère de la Justice le dossier qu'il avait rempli tant d'années auparavant. Le représentant qui le reçut était un homme respectable, de constitution frêle, âgé d'une cinquantaine d'années, avec d'épais sourcils et une ombre de barbe bleu acier. Il appuyait ses coudes sur son bureau, de part et d'autre du dossier comme il aurait fait avec un bol de bouillie. Il était évident qu'il attendait un coup de téléphone : à chaque fois qu'il y avait un silence dans sa conversation avec Leó, il jetait un coup d'œil en direction de l'appareil.

« Donc, vous demandez la nationalité ? »
Mon père confirma.
« Vous plaisez-vous en Islande ? »
Il regarda son téléphone. Mon père hocha la tête :
« Beaucoup, oui…
– Ce qui justifie votre demande ?
– Oui…
– Leó Löwe, vous êtes allemand ? »

Le fonctionnaire posa son doigt avec insistance sur le nom de mon père.

« Non…

– Voilà qui n'est pas plus mal… »

Il fit descendre son index le long de la feuille en gardant un œil sur le téléphone qui demeurait muet.

« Eh bien, je dois vous poser quelques questions.

– Oui, je vous en prie… »

Le fonctionnaire s'éclaircit la voix et demanda en appuyant bien sur chaque syllabe :

« Parlez-vous islandais ? »

Leó blêmit : cette question sous-entendait d'innombrables choses, autres que sa maîtrise de la langue. Le fonctionnaire demandait en réalité à Leó s'il était digne de devenir citoyen islandais.

Le pays regorgeait de gens qui y résidaient depuis plus longtemps que lui, ce qui n'en faisait pas pour autant des Islandais. Il y avait des Danois, des Allemands, des Norvégiens, des Français, des Anglais qui n'étaient jamais parvenus à maîtriser la langue. Ils s'exprimaient avec maladresse et quantité de fautes. Tout le monde riait d'eux. Les Danois étaient considérés comme particulièrement ridicules.

**

Leó avait travaillé avec un Danois à l'installation de la fête foraine deux ans après son arrivée en

Islande. Ce dernier avait effectué de longues études dans le domaine de l'exploitation des jeux et attractions, il possédait un diplôme en sciences foraines, délivré par l'école royale d'ingénierie de Copenhague, mais devait pour l'instant se contenter de travailler en la compagnie de Leó et du menu fretin incapable qui avait été ramassé dans les bouis-bouis nocturnes de Reykjavík afin qu'il s'acquitte de la besogne. Ces mêmes incapables se comportaient plutôt bien avec le Danois étant donné qu'il leur importait avant tout de terminer le travail au plus vite afin de pouvoir retourner s'amuser chez les vendeurs d'alcool à la sauvette. Mais le contremaître saisissait chaque occasion de le taquiner. Quand le Danois souhaitait le bonjour :

« Bonsjourr ! »

Le contremaître ne lui répondait rien. Si le Danois s'apprêtait à réitérer sa salutation à l'attention de ses collègues de travail, alors le contremaître se tournait vers le menu fretin qui traînait encore à moitié endormi à côté de la cabane à café en beuglant :

« Dites bonsjourr au Pois Cassé pour qu'il ferme sa gueule ! »

Après cela, le Danois ne disait plus un mot à moins de craindre pour sa vie et ses abattis. La chose ne manqua pas de se produire.

« Sje grois que ce n'est pas assez solide, une fois… »

Ils étaient occupés à monter la grande roue et le Danois craignait que les piliers destinés à la maintenir ne soient pas suffisamment costauds. Le contremaître, persuadé du contraire, beugla en retour :

« Ce truc pas assez solide une fois, monsieur, a été coulé par des Islandais dans une fonderie à côté de quartier de Sund et s'il n'est pas assez bon pour vous une fois, vous n'avez qu'à rentrer au Danemark pour y coller votre une fois où vous voulez. »

Le Danois était obsédé par ces piliers. Il passa le reste de la semaine à marmonner dans son coin que toute cette histoire de piliers n'allait pas du tout une fois. Le contremaître envoya un clin d'œil à ses hommes et tonna si fort que tous les manèges résonnèrent :

« Je crois bien qu'il a attrapé l'une fois ! »

Peu de temps plus tard, le Danois fut pris sur le fait alors qu'il s'escrimait à resserrer les boulons fixant les piliers dans le sol, seul au milieu de la nuit. On le flanqua à la porte sur-le-champ en lui disant qu'il pouvait s'estimer heureux de ne pas se voir traîné en justice pour sabotage. Après l'ouverture de la fête foraine, le Danois devint son plus fidèle client. Quand les caissières arrivèrent à leur poste, il était déjà devant le guichet avec sa pièce de deux couronnes toute prête et ne rentra chez lui qu'une fois que la dernière fournée de passagers descendit des corbeilles en poussant de hauts cris.

Et ces piliers islandais refusaient de céder une fois !
Le spectacle de ce brillant ingénieur danois perdant
son travail, sa famille et, pour finir, sa raison était
consternant.

À la fin, sa présence était devenue si oppres-
sante pour le personnel et pour les visiteurs que
l'ambassadeur du Danemark intervint. L'ingénieur en sciences foraines fut arrêté au terme d'une
course-poursuite à l'intérieur du parc d'attractions.
Il fallut une douzaine de policiers pour le faire
monter sur le bateau en partance pour Copenhague
où il se rendit en camisole de force, ce qui fut un
soulagement pour le pays.

Quand Leó apprit le destin qu'avait connu son
ancien collègue, il décida d'apprendre l'islandais
dans la mesure des possibilités qui s'offrent à un
étranger. Mais la première remarque que son professeur de langue islandaise lui asséna fut que, précisément, il ne la maîtriserait jamais à la perfection.

« Jamais ! »

Le docteur et bibliothécaire Loftur Fróðason
répéta ses paroles les muscles de l'avant-bras
bandés jusqu'au coude en brandissant un doigt qui
tremblait comme l'aiguille affolée d'un baromètre
pris dans une perturbation. L'enseignement se
déroulait dans le bâtiment qui abritait l'héritage littéraire des Islandais – lequel était pour Leó un livre
fermé, ce qu'il resterait d'ailleurs pour des siècles

et des siècles à en croire les affirmations de son professeur.

Leó étudiait en la compagnie de Michaïl Pouchkine, un employé de l'ambassade de Russie qui n'était pas parvenu au bout du dictionnaire islandais-russe avant d'être envoyé en Islande. En dehors de sa connaissance tout à fait convenable des mots de A à K, l'unique chose qu'il savait dire en arrivant dans le pays était une phrase qu'on aurait crue sortie tout droit d'une saga islandaise du XIIIe siècle :

« Je viens du royaume de Garðaríki*. »

Et bien qu'elle suscitât partout une joie et une hilarité poussant les gens à lui offrir des verres pour son érudition, cette phrase ne lui suffisait en rien dans le travail dont il devait s'acquitter. Le camarade Pouchkine était chef cuisinier à l'ambassade de Russie, en d'autres termes, espion du KGB.

« La langue islandaise est comme l'eau de source, un fleuve large et puissant, si limpide qu'on en voit partout le fond. Elle a parfois souffert du cours léger de l'histoire, elle s'est parfois fourvoyée dans les vains tourbillons de la complication. Avec le dégel, des petits ruisseaux venus d'un peu partout se sont unis à elle, apportant leur lot d'argile et d'impuretés, lesquelles ne sont jamais parvenues à en souiller le tréfonds. Elles n'ont laissé que traces le long de ses rives et, petit à petit, les impuretés sont descendues au fond avant d'être emportées vers la mer. »

Loftur referma le livre d'un coup sec et adressa un froncement de sourcils à ses élèves. Leó Löwe et Michaïl Pouchkine avaient-ils été élevés sur les rives d'un semblable fleuve, avaient-ils trempé leurs tendres lèvres d'enfants dans ses eaux ? Non, voilà pourquoi ils devaient débuter chaque leçon en absorbant un verre d'eau islandaise.

« Les principales caractéristiques de la langue islandaise sont les suivantes : elle est pure, claire, belle, douce, puissante, sublime, géniale, riche et, par conséquent, se prête particulièrement bien à la poésie. Et c'est effectivement le cas en vertu du jugement de linguistes réputés venus des quatre coins du monde. Si vous voulez en débattre avec eux, messieurs, je vous en prie ! »

Non, pas plus Leó que Michaïl ne se sentirent capables d'argumenter face à d'éminents professeurs étrangers. Loftur s'esclaffa.

« Voilà qui ne m'étonne pas ! Et maintenant, écoutez ! »

Il attrapa le violon accroché sur le mur et se mit à jouer un morceau tour à tour mélancolique et énergique. Les notes s'écoulaient de l'instrument. Leó n'était plus au fond d'une cave en dessous de la Bibliothèque nationale des Islandais, non. Ses épaules se déchargèrent de tout le poids de cette richesse et il se retrouva subitement voguant sur les flots de la Volta. Et maintenant, voilà qu'il a sept ans : Prague est derrière lui et une partie de campagne l'attend. Il se penche par-dessus bord ; l'eau de la rivière file sous les flancs du bateau. Des tours et des places. Et maintenant, il s'amuse avec ses sœurs au creux d'une clairière, une pie bavarde les survole avec un morceau de verre dans le bec. Là, il court le long de la rivière, son père est assis sur la berge. Un chapeau noir projette son ombre sur l'eau infiniment claire. Et là, il mord dans une tranche de pain de seigle accompagnée de hareng aigre-doux, l'huile taquine sa langue et l'oignon craque sous la dent. Ensuite, il pique une tête dans l'eau, une péniche passe à proximité avec son moteur qui claque. Un tramway. Et là, il s'éveille dans les bras de sa mère, le chemin qui mène à la maison est toujours si apaisant.

« Tel est le chant de l'Islande ! »

Loftur repose le violon, ramenant Leó à sa terre adoptive. Le cagibi s'est assombri. Il regarde Michaïl et voit au visage attendri du Russe qu'il est, lui aussi, parti à mille lieues d'ici. Le professeur d'islandais attrape la cravache posée sur son bureau.

Il la fait tournoyer en l'air. C'est là un chant affreux qui ne séduit ni Leó ni Michaïl. Au terme de la première heure de cours, Loftur a remis à ses élèves un manuel d'islandais à l'usage des grands débutants en leur précisant qu'ils pouvaient assimiler l'ensemble de son contenu tout seuls. Quant à lui, il les aiderait à comprendre et à ressentir les possibilités infinies qu'offrait cette langue.

« Infinies ! »

Ainsi était organisé l'enseignement de l'islandais. Il consistait principalement en des exercices pratiques destinés à s'approprier la langue du siècle d'or. Leó ne vit le professeur dans l'embarras qu'une seule et unique fois. Il était alors en train de démontrer à ses disciples à quel point la langue était riche. Pour ce faire, il comparait le nombre de termes existant en islandais et dans les langues respectives de ses élèves pour désigner telle ou telle chose. Il les bassina avec ça jusque tard dans la soirée.

Arriva le moment où il les défia de nommer les différents mots qu'ils connaissaient se rapportant à l'appendice situé à l'arrière-train des créatures terrestres. Il s'empressa de leur communiquer la riche contribution de l'islandais dans ce domaine :

« *Rófa, hali, skott, stertur, sporður, dindill, hali, stél…* en fonction de l'animal qu'elle complète.

– Parrrdhônnez-mhoi… »

Michaïl interrompit le docteur, chose qui ne s'était jamais produite, puisqu'il était un homme d'une exquise politesse.

« *Stýri, vél…* Oui, monsieur Pouchkine ?

– Pourrrriez-vhous mhe dhirre comment on apphellle cellha ? »

Il se leva et se mit à tripoter la ceinture de son pantalon.

« Comment on appelle quoi ? »

Le professeur ne savait pas s'il devait regarder le Russe dans les yeux ou se concentrer sur ce à quoi ses doigts étaient occupés.

« Il n'y a aucun mot rrusse phour ça. »

Leó baissait les yeux, l'homme s'apprêtait à baisser son pantalon. Le docteur gesticulait, gigotait, dodelinait, tanguait ou si vous voulez tremblotait afin de l'en dissuader. Il le descendit jusqu'au bas des hanches.

« Mais enfin, monsieur, retenez-vous ! Vous devez bien avoir un mot pour ça en russe, et même à coup sûr plus d'un.

– Non, non, monsieur le professeur, écoutez Pouchkine, je dhis lla vérrité… »

La souffrance teintant la voix du Russe était tellement impressionnante que le docteur et mon père abaissèrent leur regard comme un seul homme. Les yeux du Russe semblaient scintiller du candide espoir d'éveiller leur pitié :

« Eh bien, faites voir… »

Loftur chaussa ses lunettes :

« Mais n'allez pas vous imaginer que ce genre de chose doit devenir habituel dans mon cours.

– Non, non, juste pour cette fois… »

Le Russe descendit son pantalon, mais au lieu de se mettre l'oiseau à l'air, il leur présenta son postérieur. Et là, en effet, quelque chose clochait. Leó se pencha en avant : à un endroit où rien n'aurait dû se trouver, quelque chose tendait son caleçon. Pouchkine regarda par-dessus son épaule, abaissa brièvement l'élastique bleu clair de son caleçon et demanda d'un ton suppliant :

« Comment on apphellle cellha ? »

Les spectateurs de l'espion-cuisinier suffoquaient de surprise : il avait une queue de la taille d'un majeur et dénuée de poils. On pouvait en apercevoir les articulations sous sa peau bleutée.

« Perrrsonne ne sait en rrhusse... »

M. Michaïl Pouchkine lança au docteur un regard plein d'espoir. Le maître restait muet : bien qu'il existât en Islande des mots pour désigner tout ce qui est pensé sur terre et qu'il les connût tous, l'excroissance du coccyx affligeant son élève avait été négligée par cette fantastique fabrique à mots. Au bout de quelques instants de réflexion :

« Eh bien, l'os en question est nommé coccyx, je suppose qu'on pourrait simplement donner à cela le nom de queue. »

Pouchkine éclata en sanglots.

« Non, non, docteur Fróðason, Pouchkine n'est pas un cochon, ni un chien. »

Le docteur le consola en lui disant qu'à la prochaine heure de cours, ils s'entraîneraient à la

99

composition des néologismes*. Peut-être parvien-
draient-ils à composer quelque chose ensemble ?

« Un Russe avec une queue ? Je croyais pourtant
que le moujik avec le couteau entre les dents appartenait au passé.

– Non, c'est la pure vérité. J'ai beaucoup
d'affection pour Pouchkine, lui et mon père étaient
bons amis.

– Et il avait une queue ?

– Le mot qu'ils ont trouvé était en fait le suivant : appendice caudal.

– Donc, il avait un appendice caudal ?

– Oui, il me l'a même montré quand il est revenu
en Islande il y a quelques années. Il faisait partie des
gens qui accompagnaient Gorbatchev pour sa rencontre avec Reagan en mil neuf cent quatre-vingt-
six. Il arrivait même à la remuer, enfin, un tout petit
peu. On appelle ça l'atavisme.

– Dis donc, tu m'as l'air des mieux renseignés
sur la question. »

Au bout de trois hivers, Leó et Pouchkine ache-
vèrent leurs études. En cadeau de départ, le
Dr Loftur Fróðason leur offrit une planche de

timbres récemment éditée représentant les princi-
paux manuscrits islandais sur parchemin. Un
comité de spécialistes avait été réuni et s'était mis
d'accord au terme de continuelles disputes. Le
Dr Loftur en faisait partie :

« Nous espérons que ces timbres nous aideront
dans le combat que nous menons afin que les
Danois nous rendent les manuscrits. »

C'est ce jour-là que Leó Löwe entrevit pour la
première fois les liens privilégiés qui unissaient les
Islandais à la philatélie.

***

« Oui, je parle islandais. »

Leó s'était exprimé d'une voix haute et claire
afin que n'échappe pas au fonctionnaire que se pré-
sentait devant lui un candidat exemplaire au statut
d'Islandais.

« Bonne nouvelle… »

Le fonctionnaire passa son doigt sous son sourcil
gauche et enleva un cil de son œil. Le téléphone
retentit alors et il ne mit pas longtemps à décrocher.

« Oui, n'est-ce pas ? »

Il écouta son interlocuteur un long moment puis
boucha le combiné avec sa paume.

« Que mangent les loups-garous ? »

Leó ne comprit pas immédiatement que le

fonctionnaire s'attendait à ce qu'il fournisse une réponse.

« Alors, que mangent-ils ? »

Le fonctionnaire chuchotait, Leó lui répondit en chuchotant.

« Des gens ? Ils sont anthropophages, n'est-ce pas ? »

Atterré par l'ignorance de l'étranger, le fonctionnaire secoua la tête avant de poursuivre sa conversation.

Leó ne disait pas un mot.

7

Leó descend la rue Ingólfsstræti jusqu'en bas. Il reste quatre heures et dix-sept minutes avant que son affaire soit examinée par le Parlement. Et que fait un homme qui attend ? En quel lieu est-il préférable pour lui de patienter ? Leó entre dans un café.

Il s'installe à la grande table du café Prikið. Il n'y a pas foule. C'est un jour de semaine, encore tôt dans la matinée. Un café, s'il vous plaît et le *Morgunblaðið*. Il le boit noir, il ouvre le journal au hasard. Aïe, pourquoi a-t-il fallu qu'il commette cette erreur ? Sur la page de gauche, il lit que c'est aujourd'hui l'enterrement d'Ásgeir Helgason.

Les nécrologies sont au nombre de trois : la plus longue écrite par le beau-frère d'Ásgeir, une deuxième de la main de Hrafn W. Karlsson pour le compte des Philatélistes d'Islande et la troisième est l'adieu que lui adressent ses collègues de travail de Sundhöllin, la plus ancienne piscine de Reykjavík. Toutes adoptent un ton plutôt embarrassé. Les meurtres sont si rares en Islande que rédiger des nécrologies sur ceux qui en sont victimes est au-dessus des forces de bien des gens. Il apparaît clairement à la lecture de ces articles qu'Ásgeir n'a accompli que deux choses au cours de son existence : collectionner des timbres et vaquer à diverses occupations, entouré d'hommes nus. Ces prouesses sont racontées dans un style hyperbolique et ampoulé. Peut-être est-ce parce que le meurtrier n'a pas été retrouvé et que les auteurs espèrent bien qu'il regrettera son geste en découvrant les qualités de la victime ? Comme s'il ne l'avait pas parfaitement connue. Ici, tout le monde se connaît.

D'ailleurs, Leó connaît lui aussi la victime. Ásgeir Helgason était l'une des personnes les plus malchanceuses que Leó ait jamais rencontrée. À l'époque où Leó fréquentait Sundhöllin, Ásgeir passait son temps à perdre un doigt par-ci, un orteil par-là, quand ce n'était pas les lobes de ses oreilles.

À la fin de sa lecture, Leó a l'impression qu'il connaît encore mieux Helgi, le père d'Ásgeir, qu'Ásgeir lui-même. Il semble que ce Helgi ait été champion de natation et spécialiste des manuscrits islandais.

« C'était vraiment affreux, quand ils l'ont découvert... »

Leó lève les yeux de son journal. À côté de lui est assis un homme roux au visage orné d'un bouc à la valet de pique de la même couleur. Il se penche vers Leó :

« On lui avait coupé la langue.

– Que dites-vous là ?

– Je tiens ça d'une de mes amies, elle est mariée à un policier. C'est lui qui est arrivé sur les lieux le premier. »

Leó n'est pas franchement d'humeur pour ce style de conversation. Aujourd'hui est un grand jour. Le rouquin baisse la voix :

« Il savait quelque chose, c'est un avertissement pour les autres… »

Leó referme le journal, sort son porte-monnaie et commence à y compter ce qu'il doit pour son café. Il pose les pièces sur la table puis se lève. L'autre continue :

« Sa collection de timbres a disparu.

– Pourquoi est-ce que vous me racontez tout ça ?

– Quoi, euh, je vous fais seulement la conversation.

– Oui, eh bien, au revoir… »

Leó sort en toute hâte du café.

Le fonctionnaire acheva sa discussion sur le régime alimentaire des loups-garous en éructant à l'attention de son correspondant :

« Eh bien, mange-le toi-même ! Ils ont la tête enfoncée dans le cul et j'ai bien l'impression à t'entendre que c'est aussi ton cas ! »

Puis il reprit l'interrogatoire, comme si de rien n'était :

« Je vois que votre casier judicaire est vierge et nous avons là une déclaration de l'ambassade tchèque attestant que vous n'avez rien commis de répréhensible à l'époque où vous demeuriez là-bas. Tiens donc ! Mais, je vous croyais allemand ? »

Le fonctionnaire opposa un regard perçant à Leó.

« Je viens de Prague.

– J'espère que vous n'êtes pas communiste ?

– Non, je n'appartiens à aucun parti politique. Je suis alchimiste.

– Est-ce politiquement à droite ou à gauche ?

– Disons qu'il s'agit plutôt de théologie.

– Je sais, j'ai dit ça afin de vous tester. Alchimiste, cela signifie fabricant d'or, n'est-ce pas ?

– Oui, bien qu'il s'agisse avant tout d'un cheminement et d'exercices spirituels. »

Le fonctionnaire afficha une expression vide :

« Adhérez-vous à la théorie de Krýsuvík ? Selon laquelle nous serions tous des élus et qui affirme que les ombres égyptiennes régnaient à Krýsuvík il y a mille ans ?

– Permettez-moi d'en douter… »

Le visage du fonctionnaire s'illumina.

« Pff… d'ailleurs, ce n'est qu'un ramassis

d'âneries. Et que dites-vous des Hérules ? L'idée n'est pas si folle que ça, à moins que ?

– Eh bien, en fait, je ne la connais pas…

– Très bien, d'ailleurs c'est une insulte à la nation islandaise que d'aller affirmer qu'elle descend d'un peuple qui vénérait un cochon. Évitez donc de vous plonger dans toutes ces choses-là. »

Interminable silence.

« Eh bien, voilà l'attestation du chef de la police de Reykjavík. Vous me semblez irréprochable. »

Le fonctionnaire repoussa les feuilles :

« Cependant, s'il y a quoi que ce soit que nous devrions savoir, quelque chose que vous souhaitez me confier, il serait judicieux que vous le fassiez maintenant. Cela vaudrait mieux pour tout le monde… »

⁂

Alors que Leó venait d'arriver en Islande, il s'était procuré l'imprimé destiné aux candidats à la naturalisation. Avant qu'il ait eu le temps de le compléter, il était devenu obsolète et Leó avait renoncé à son projet. Ce ne fut qu'au moment où le philatéliste et marchand de timbres Hrafn W. Karlsson lui avait expliqué pourquoi il lui était impossible de rester plus longtemps dans le pays sans en devenir citoyen à part entière qu'il avait compris que plus tôt il obtiendrait la nationalité, mieux cela vaudrait.

« Imaginons que vous soyez surpris avec une partie de ces timbres, que par exemple, le feu prenne chez vous et que les pompiers les trouvent, dans ce cas-là, ce sera : "Par ici la sortie, s'il vous plaît" et vous serez expulsé. On ne réserve pas ce sort-là aux ressortissants islandais. Ils sont condamnés à une peine de prison à Litla-Hraun puis peuvent rentrer chez eux une fois que l'affaire est oubliée.

– Y a-t-il un problème avec ces timbres ? »

Leó caressait les planches posées sur le comptoir du Magasin philatélique de Reykjavík : des timbres de 35 aurar avec le volcan Hekla en éruption portant la mention « 5 aurar » en surimpression. Le travail avait été effectué avec maladresse, la mention était à l'envers, sur les bords et par endroits, l'imprimeur était passé deux fois. La scène se passait tard dans la soirée, Hrafn avait exigé de traiter avec Leó après l'heure habituelle de la fermeture du magasin.

Leó n'en avait cure. Il savait que c'était parce qu'il était juif et que Hrafn était un ancien membre du parti nationaliste islandais. Le malaise que Hrafn éprouvait à fréquenter Leó marquait l'ensemble de leurs relations. S'ils se croisaient dans la rue, il était rare que Hrafn le salue. Parfois, il regardait Leó comme s'il ne l'avait jamais vu, mais s'il était de cette humeur-là, il lui disait bonjour comme à tout le monde. De façon parfaitement compréhensible, Leó n'appréciait pas trop non plus le contact de Hrafn, mais il n'avait pas le choix.

« Ah bon, est-ce à dire que vous ne savez pas ce que vous me vendez ? »

Hrafn tapotait l'enveloppe de son doigt épais :

« Pourquoi ? Serait-ce le butin d'un vol ?

— Ce n'est pas à moi qu'il faut poser la question. Et vous refusez de me dévoiler leur provenance ?

— On m'a demandé de la tenir secrète.

— Et vous ne direz pas non plus qui vous les a achetés ?

— Cela ne me viendrait même pas à l'esprit.

— Très bien… »

Leó n'avait aucune idée de ce dans quoi il s'était embringué. Tout ce qu'il savait, c'était qu'en Islande, les timbres représentaient quelque chose d'autre et de plus intéressant que de simples morceaux de papier encollés destinés à acquitter un port postal. Précisément, cette ville abritait des familles qui tiraient l'ensemble de leurs revenus du commerce de cette marchandise et ce, depuis trois générations. Les timbres qu'il vendait à Hrafn étaient d'une provenance différente. Il les avait reçus d'un homme qu'il soupçonnait de travailler pour Gutenberg, l'imprimerie nationale.

Ils s'étaient rencontrés en pleine nuit. Leó ne trouvait pas le sommeil comme c'était souvent le cas quand l'usine de farine de poisson des environs tournait à plein régime et qu'un voile de guano recouvrait la ville. Les gens d'ici appellent cette puanteur « l'odeur de l'argent » et dorment comme des millionnaires, alors que des individus comme Leó ne parviennent pas à fermer l'œil. Et bien que l'odeur de chair et de graisse brûlée soit plus forte au grand air que dans son petit appartement en sous-sol, il lui semblait tout de même préférable d'être en un lieu où il pouvait éloigner de sa pensée les affreuses histoires qu'elle lui rappelait.

EXTRAIT DE L'HISTOIRE DES HOMMES-ZÈBRES

Changer un homme en zèbre n'est pas une opération aussi inconcevable qu'on peut l'imaginer à première vue. Tout ce dont les Allemands eurent besoin pour la mettre en œuvre était une prison ancienne ou récente, une main-d'œuvre motivée et des individus sélectionnés pour subir la transformation. Il existait de vieilles prisons dans tous les pays conquis et, par endroits, on s'était mis à en construire de nouvelles, élevant ainsi des villages entiers. Si les bâtiments étaient déjà en fonction, on graciait une partie des détenus, on leur accordait des remises de peine, on leur offrait un travail

110

d'utilité publique consistant à participer aux opérations de transformation et ainsi de suite.

La raison pour laquelle les établissements les plus vétustes et les plus inhumains avaient été choisis en chacun des lieux décrit clairement le mode de pensée de ceux qui étaient à l'origine du plan « Zebrastreifen ». Nous qui étions incarcérés à l'orée de P. y avions tous été envoyés pour divers motifs. J'y ai rencontré des hommes de toute nationalité, race, confession, opinion politique ou orientation sexuelle. Certains étaient presque encore des enfants et d'autres des vieillards. Cependant nous avions tous en commun le fait qu'au terme de notre séjour, nous deviendrions des zèbres.

La méthode employée par les Allemands prouve à quel point ils avaient extrêmement bien conçu les choses. Les cellules étaient pleines à craquer : ils plaçaient cinq détenus dans un espace destiné à n'en héberger que deux. Cela seul suffisait à générer un changement radical dans notre constitution. La modification pouvait se produire subitement, mais elle pouvait être plus lente. Disons que j'ai dû séjourner là-bas environ sept mois, ce qui correspond à la période nécessaire à l'apparition des principales caractéristiques de l'animal : des rayures sur le corps, un ventre gonflé, des jambes pas plus grosses que des allumettes avec des genoux saillants, des oreilles décollées sur une tête émaciée et des yeux hagards.

Dès les premières semaines, j'ai senti mon corps saisi d'une certaine raideur, mon dos s'est voûté pour la simple raison qu'on se fait tout petit au sein de la foule. Puisque aucune mesure n'était prise par les dirigeants de la prison afin d'améliorer la situation dans les cellules abritant toutes trois personnes en surnombre, sans parler du fait qu'on ne nous fournissait que de méchantes guenilles dont nous nous couvrions ou que nous pliions sous nos postérieurs assis à même le sol de pierre, nous étions réduits à dormir sur les paillasses à tour de rôle, à arpenter sans cesse la distance de trois pas qui les séparait et à nous étirer en nous suspendant au rebord de la minuscule fenêtre qui était notre unique lumière du monde tout le temps que nous croupissions en ces lieux.

Au début, une bonne entente régnait dans la cellule, nous étions tous déterminés à ne pas les laisser nous briser. Quelques-uns de mes compagnons, lesquels furent un certain nombre au fil des mois que j'ai passés à P., avaient déjà été incarcérés dans le passé et étaient experts en l'art consistant à se préserver de la folie dans de telles conditions. Le premier commandement était de ne jamais discuter de nos familles ou de ceux qui nous étaient chers à l'extérieur. Le deuxième, de ne jamais mentionner la raison de notre présence en ces lieux. Le troisième consistait à nous partager tous les colis de nourriture, de tabac ou de toutes autres denrées susceptibles de nous parvenir.

Autant dire que toutes ces règles furent enfreintes. La troisième toutefois moins souvent que les deux premières car nous nous vîmes bientôt privés de tout contact avec le monde extérieur. L'atmosphère s'en trouva alourdie en un clin d'œil : les hommes s'inquiétaient pour leurs petites amies, leurs épouses et leurs enfants. On se disputait ardemment sur la politique, la religion, le sport ou les différentes sortes de bière et même, au bout d'un moment, sur la forme des boîtes d'allumettes.

Cela montre mieux que tout que, plongés comme nous l'étions dans notre ignorance, nous tenions en premier lieu à épargner nos malheureuses âmes, à conserver notre santé mentale au détriment de nos corps d'hommes, que nous délaissions plus ou moins. Nous ne savions pas que c'était à ces enveloppes que les Allemands s'intéressaient avant tout, ils se fichaient éperdument que le corps du zèbre soit habité d'une âme saine ou en morceaux.

C'est environ trois mois après mon arrivée à P. que j'y ai vu mon premier zèbre. On nous avait fait quitter nos cellules pour notre promenade hebdomadaire d'un quart d'heure dans la cour de la prison. Cette cour avait été divisée en plusieurs enclos afin de nous empêcher de communiquer avec les détenus des autres ailes et, là, on nous obligeait à marcher en rond les uns derrière les autres en respectant un intervalle et une vitesse précis. Les hommes étaient immédiatement punis d'un coup de matraque sur la cuisse s'ils étaient surpris à tenter d'accélérer la cadence afin de se dégourdir.

C'était là un exercice insupportable qui ne parvenait pas plus à nous fortifier le corps qu'à nous vider l'esprit : on aurait dit qu'il visait avant tout à nous rappeler que nous étions non seulement prisonniers des Allemands, mais également de nos propres corps. Le désir de courir comme un fou en hurlant, en faisant des cabrioles entre les murs, de bondir à gauche, à droite et de tous côtés occupait toute mon âme. Lors de ces brefs moments hebdomadaires, nous nous fichions que le ciel par-dessus nos têtes soit limpide ou noir : il pesait sur nous, telle la meule d'un moulin, nous entraînant avec lui cercle après cercle comme de la vulgaire ivraie. Et c'était probablement cette parodie d'exercice physique qui expliquait le peu de cas que nous faisions de notre corps, une fois rentrés dans nos cellules.

Toujours est-il que ce fut au cours de cette promenade que nous aperçûmes le premier homme transformé en zèbre à l'intérieur de notre prison. (Oui, j'écris « notre », l'être humain n'a pas besoin de séjourner bien longtemps en enfer avant de le confondre avec son foyer.) Plusieurs gardiens sont sortis d'un bâtiment à toute vitesse en tirant en l'air avec leurs fusils. Nous nous sommes immédiatement jetés à terre en plaçant nos mains sur la nuque,

comme on nous l'avait enseigné lors de notre première promenade. Les gardiens s'amusaient souvent à tester ainsi notre réaction et notre obéis-
sance. Ils nous laissaient allongés à plat ventre
jusqu'à ce qu'un détenu nouvellement arrivé ne
résiste pas à lever la tête pour voir ce qui se passait. Le contrevenant était alors puni d'une raclée
pendant que nous, les autres, recommencions
l'exercice jusqu'à ce que les quinze minutes soient
écoulées.

Cette fois-ci, la chose était apparemment des
plus sérieuses. Nous n'étions couchés à terre les
visages dans la crasse que depuis quelques instants
quand un second groupe de gardiens sortit, accompagné d'une étrange créature de la taille d'un être
humain, mais d'une apparence si grotesque que j'en
croyais à peine mes yeux. Je ne la distinguais que
du coin de l'œil. Nous nous étions entraînés à
regarder autour de nous dans cette position en lou-
chant au maximum vers l'extérieur. Pour ma part,
en évitant de fixer un point particulier, je parvenais
à obtenir un champ de vision étonnamment large.

Des officiers SS vêtus de noir et deux types en
civil qui appartenaient manifestement à la Gestapo
suivaient les gardiens qui escortaient la créature.
L'expédition nous dépassa en marchant au pas avec
cette créature hurlante avant de disparaître par la
porte blindée qui se trouvait sur le mur de la cour le
plus éloigné de moi.

Ce ne fut qu'une fois que nous reçûmes le signal de nous relever et l'ordre de retourner à nos cellules que je compris la nature de ce que j'avais vu. Au début, j'avais cru qu'il s'agissait d'une brebis grossièrement tondue avec laquelle les gardiens entendaient se divertir un peu en la forçant à marcher debout sur ses pattes arrière à travers la prison avant de l'abattre. Nombre de mes compagnons avaient interprété la scène d'une manière tout à fait comparable, car nous avions tous, d'une façon ou d'une autre, goûté le sens de l'humour des gardiens.

La présence des goélands à dos noir et des vautours excluait toutefois qu'il se soit agi d'un divertissement : les gardiens avaient toujours les nerfs à fleur de peau quand ces représentants du IIIe Reich venaient à la prison pour y interroger des détenus politiques ou des opposants au régime. Non, une fois que nous eûmes comparé nos versions avec mes compagnons de cellule, notre conclusion fut qu'aussi incroyable que cela paraisse, nous venions bel et bien de voir un zèbre.

Cette découverte fut suivie d'un long silence, nous restâmes assis sans dire un mot, plongés dans nos pensées. Nous voyions encore l'animal en chair et en os dans nos esprits : une bouche qui avançait, des sabots noirs rappelant des poings fermés, des membres raides qui indiquaient qu'il n'avait pas l'habitude de se tenir droit et la chair striée de rayures noires, au fait, qu'est-ce qu'elles faisaient là ?

Pour ma part, je constatai que je partageais avec l'animal un ventre gonflé et des yeux épuisés par le manque de sommeil.

Nous nous lançâmes des regards en coin tout en inspectant divers détails de nos anatomies respectives. Le dessein des Allemands nous apparut dans toute sa vérité. Chacun d'entre nous portait d'une manière ou d'une autre la marque du projet qu'ils avaient de nous transformer en zèbres, tous présentaient des signes prouvant que la transformation avait débuté.

Leó rentrait donc chez lui après avoir éloigné de son esprit une histoire de ce genre. Il arrivait juste au coin de la rue Ingólfsstræti quand il tomba sur un homme de petite taille vêtu d'une combinaison bleue. Au moment où leurs chemins se croisèrent, l'homme en bleu lui tendit une enveloppe marron puis poursuivit sa route sans se soucier de ses cris et de ses appels. Leó comprit pourquoi en apercevant les agents de police qui poursuivaient l'homme.

Alors, qu'a-t-il fait de cette enveloppe ? Rien du tout. Il l'a posée sur le banc de la cuisine où elle se trouvait encore le lendemain à son retour du travail.

La série des plis indésirables s'était en revanche enrichie d'un élément.

Il trouva dans son évier une lettre non affranchie que quelqu'un avait glissée par la fenêtre de la cuisine :

Camarade, vous êtes en possession d'un petit quelque chose qui m'appartient.
Prenez-en bien soin. La suite est pour bientôt,
V.

Une semaine plus tard, une seconde lettre était arrivée dans l'évier :

Camarade, apporte ça à Hrafn le nazi.
Tires-en un bon prix. Commission : 10 %.
V.

Leó n'avait aucune idée de qui avait été nazi ou non en Islande. À dire vrai, il pensait qu'il n'y avait eu aucun nazi, mais seulement des nationalistes disséminés dans les divers partis politiques et puis, aussi, quelques gamins qui s'étaient amusés à se déguiser. Il tenait ces informations du préposé aux douches de la piscine couverte de Sundhöllin. Et voilà maintenant qu'il devait mettre la main sur un bonhomme qu'on traitait de nazi, comme si de rien n'était, comme s'il s'était agi d'une profession. Mais ce n'était pas tout, il devait effectuer une transaction commerciale avec lui en lui vendant quelque chose dont il ignorait la nature.

L'enveloppe envoyée par le mystérieux « V. » reposait sur le banc de la cuisine. Bien qu'elle ne semblât en rien exceptionnelle, il la manipulait avec précaution. Il la soupesa et constata que son poids avoisinait celui d'un banal registre de comptes. Il reposa l'enveloppe sur la table, s'installa et décolla précautionneusement le rabat qui la scellait. Il se pencha sur le côté pour jeter un œil à l'intérieur. Il avait l'impression qu'elle contenait divers papiers. Peut-être étaient-ce des rapports secrets ?

« Connaîtriez-vous un certain Hrafn, euh, un nationaliste ? »

Leó s'adressait au préposé aux douches à voix basse. Il se séchait à côté de son casier pendant que son interlocuteur passait son grand balai pour enlever les peluches blanches tombées sur le sol en marmonnant, les yeux baissés :

« Il y a plus d'un corbeau qui s'appelle Hrafn*. »

Leó fit glisser par-dessus son coude l'élastique auquel était accrochée la clef de son vestiaire – dévoilant ainsi son tatouage, le numéro de matricule qui lui avait été attribué dans les camps de la mort. Le préposé aux douches y jeta un regard à la dérobée tout en passant son balai sous l'un des radiateurs.

« Et il y a plus d'un nationaliste.

– Oui, je vous demandais ça juste au cas où. »

Leó ouvrit son placard puis commença à enfiler ses vêtements. Le préposé disparut au coin de la rangée de casiers. Une fois que Leó se fut entièrement rhabillé et qu'il s'apprêtait à retourner vers l'accueil de la piscine, le préposé aux douches lui barra la route.

« Quand j'étais petit garçon, je collectionnais les timbres. Les gens pensent que la manipulation d'objets fragiles est une saine occupation pour les enfants. On apprenait à les découper puis, on les mettait dans l'eau sauf si évidemment l'enveloppe elle-même avait des chances de devenir par la suite une merveille de l'histoire postale. Dans ce cas, on la mettait à l'abri dans un dossier. Puis on plaçait les timbres sur une feuille où on les faisait sécher en posant quelque chose dessus. Venait ensuite le classement en fonction de la facture, de la date d'émission – et des filigranes quand, en grandissant, on se familiarisait avec les données plus techniques. Ça oui, on en passait des jours et des nuits entières occupés à ça… »

L'homme marqua une pause et s'écarta pour laisser passer Leó. Une fois qu'il eut disparu de sa vue, il poursuivit :

« On espérait tomber sur la perle rare, on

proposait aux vieilles dames du quartier de s'occuper de leurs emplettes si elles nous autorisaient à farfouiller dans leurs vieilleries. C'est ainsi que j'ai dégoté une enveloppe affranchie avec une combinaison de timbres-poste de deux schillings à dentelure grossière et de timbres taxes à quatre schillings à dentelure fine, postée à Djúpavogur, mais oblitérée à Hambourg ! »

Il baissa d'un ton.

« La petite vieille n'avait pas idée du cadeau qu'elle m'offrait pour être allé lui chercher une bouteille de lait et un pain de seigle. Enfin, elle est morte à Noël dernier, vous ne croyez pas que ses héritiers seraient furieux s'ils apprenaient ça ? Voilà qui ferait un sacré bruit ! »

Le préposé laissa éclater un petit rire sur le dos de sa main :

« Le diable si je ne mène pas la belle vie avec ça. »

Leó avança sa main pour le féliciter de sa trouvaille, mais au lieu de lui serrer la poigne, l'homme l'attrapa par le col de sa chemise, l'entraîna à l'intérieur d'une cabine individuelle et l'avertit d'un air menaçant :

« Si vous allez raconter ça à qui que ce soit, je vous tue… »

Leó jura croix de bois, croix de fer que jamais il ne dirait à quiconque qu'alors qu'il était encore gamin, le préposé aux douches de la piscine de

121

Sundhöllin s'était procuré d'une manière douteuse une enveloppe avec des timbres-poste de deux schillings à dentelure grossière et des timbres taxes de quatre schillings à dentelure fine, postée à Djúpavogur et oblitérée à Hambourg. Son assaillant lâcha prise et lui tapota la poitrine pour défroisser sa chemise :

« Il ne vous est jamais venu à l'esprit de collectionner les timbres ?

– Non… répondit Leó en traînant sur le mot et en fixant le mur derrière l'épaule de l'employé.

– Pourquoi donc ? »

Leó montra ses mains déformées.

« Cela me serait plutôt difficile… »

Le préposé aux douches avança les siennes : il manquait deux doigts à la gauche et la première phalange du majeur de la droite était absente.

« On y arrive quand même. »

Sur quoi, il se gratta la tête avec le manche de son balai :

« Vous devriez toutefois aller faire un tour au Magasin philatélique de Reykjavík. »

Il lui adressa un clin d'œil.

« Ils vendent d'excellentes brucelles, il vous suffira de deux doigts pour les manipuler. Ne leur dites toutefois pas que c'est moi qui vous ai envoyé… »

Leó remercia du renseignement et promit d'aller se pencher sur le matériel du collectionneur au Magasin philatélique de Reykjavík. Et non, les propriétaires ne découvriraient jamais l'identité de celui qui lui avait conseillé d'aller commercer avec eux. Son interlocuteur s'écarta et le laissa sortir de la cabine.

Sa lutte avec le préposé aux douches avait tant épuisé Leó qu'il dut s'allonger un moment une fois rentré chez lui. Qu'est-ce qui avait poussé cet homme à lui vanter les mérites de la philatélie ? Jusqu'à présent, ils avaient à peine échangé autre chose que des platitudes, excepté cette unique fois où il avait informé Leó du fait que les nazis avaient fait l'impasse sur l'histoire islandaise moderne, sa curiosité s'étant éveillée quand il avait remarqué que Leó était circoncis.

Leó parvint à la conclusion que le discours de l'employé de la piscine à propos de la philatélie devait contenir la réponse à sa question concernant ce Hrafn, euh, nationaliste. Puisqu'en général, les Islandais avaient pour habitude de contourner les choses en ayant recours à des discours de nature philosophique, il leur était tout bonnement impossible d'aborder les sujets de front. Pour peu qu'ils daignent répondre à une question, les gens le faisaient sous la forme d'une anecdote ou d'un exemple pris dans le règne animal.

Qu'on leur demande si l'homme était en soi un être bon, la première contribution pouvait être quelque chose de ce genre : « Que ne ferait pas la sterne arctique… » La deuxième pouvait ressembler

à ça : « Quand j'étais petite fille… » Et la troisième :
« En travaillant dans les champs, les gens avaient
l'habitude de dire… »

Oui, il n'y avait pas de doute, le préposé aux
douches de la piscine de Sundhöllin lui avait bien
dit que la réponse qu'il cherchait se trouvait au
Magasin philatélique de Reykjavík.

Le Magasin philatélique de Reykjavík est situé à
l'angle d'une rue, sur une hauteur qui surplombe le
centre-ville. L'accueil se trouve au rez-de-
chaussée. Le commerce des timbres s'effectue à
l'intérieur des deux pièces de l'arrière-boutique.
Une cloche de laiton signale que vous franchissez
la porte et elle a retenti au moment où Leó est entré
avec l'enveloppe que lui avait confiée le mystérieux « V. ». Un jeune homme emmanché d'un trop
long cou se penchait sur la plaque de verre du
comptoir, occupé à examiner des timbres venus
d'ici et là dans le monde et qu'il trouvait ridicules. Il
marmonnait entre deux éclats de rire que les Por-
tugais feraient mieux de s'abstenir d'éditer des
timbres :

« Ha ! ha ! Regardez-moi ça ! »

Leó s'approcha du comptoir et se planta là. Au
bout d'un long moment, on entendit une chaise
rouler sur le sol de la pièce d'à côté et, peu après, un

homme apparut à la porte, toujours assis sur cette chaise qu'il avait emportée avec lui. Il avait un corps en forme de poire, comme il arrive souvent aux sportifs qui prennent beaucoup de poids. Il portait une chemise blanche dont il avait relevé les manches et un pantalon kaki qui lui remontait jusqu'aux tétons. Il adressa une moue à son client et l'examina à travers la loupe qu'il avait gardée collée à son œil droit.

« Oui ?

– Bonjour, je m'appelle Leó Löwe. Est-ce que M. Karlsson est là ?

– Oui ?

– Pourrais-je m'entretenir avec lui ?

– Oui ? »

Au bout d'un bref silence, le jeune homme éructa :

« C'est lui, mon gars ! Tu connais pas Hrafn ou quoi ? »

Le visage de Leó s'empourpra :

« Pardonnez-moi, mais je suis plutôt nouveau ici. »

Il posa l'enveloppe sur le bureau.

« Eh bien, on m'a demandé de voir si cela vous intéresserait. »

Hrafn fit rouler sa chaise jusqu'au comptoir :

« Löwe, oui… »

Leó poussa l'enveloppe vers lui. Hrafn enfonça

la loupe un peu plus profondément dans son orbite et grimaça en prenant l'enveloppe pour l'ouvrir.

« Je n'achète pas grand-chose en ce moment... »

La loupe tomba sur la plaque de verre.

Hrafn W. Karlsson béait d'étonnement, laissant apparaître toutes ses dents. Leó suffoqua. Au creux de la dent de sagesse supérieure gauche du marchand de timbres scintillait de l'or, de l'or mal acquis. De l'or qui appartenait à Leó, qui avait l'intention de le récupérer en recourant à tous les moyens disponibles : il lui faudrait donc avoir ce Hrafn à l'œil.

C'est ainsi que Leó devint intermédiaire en commerce de timbres défectueux et par conséquent précieux. Il s'attendait toujours à ce que V. lui glisse une enveloppe par la fenêtre de sa cuisine. Hrafn le nazi payait le contenu et Leó plaçait la somme sur un compte secret dans une agence bancaire des fjords de l'Est.

Tout cela dura jusqu'à ce que le directeur de la poste mette fin à cette fâcheuse habitude d'imprimer à tout bout de champ un nouveau prix sur les timbres : du reste, les familles qui avaient trempé dans ce commerce s'étaient désormais tournées vers une autre activité encore moins avouable.

À la suite de cela, Leó n'eut plus l'occasion de garder un œil sur l'or du nazi du Magasin philatélique de Reykjavík. C'est alors que lui revinrent en

mémoire les paroles qu'avait prononcées Hrafn
W. Karlsson : s'il voulait se livrer à des activités
répréhensibles en Islande, il valait mieux pour lui
qu'il soit Islandais.

8

Leó prit un air navré :

« Je me suis quelque peu adonné au commerce des timbres.

– Qui ne l'a pas fait… »

Le fonctionnaire lui adressa un sourire qui ne tarda pas à s'évanouir de son visage. Il fronça les sourcils en interrogeant d'un ton sévère :

« Quatorze ans ? Vous êtes ici depuis quatorze ans et ce n'est que maintenant que vous demandez la nationalité ? Une raison particulière explique-t-elle que vous ne vous soyez pas plus pressé que ça ? »

Le téléphone coupa la parole au fonctionnaire qui décrocha et lui tourna le dos. Malgré lui, Leó l'entendit résumer à son correspondant la description que Lucien de Samosate donnait des habitants de l'île de la Glacie :

« Ils sont composés d'eau, e-a-u ! Il y règne toujours un froid de canard, sinon ils fondraient tous et se changeraient en vapeur, en v-a-p-e-u-r ! C'est ce qui arrive quand un habitant de la Glacie décède. Les défunts forment le brouillard qui dissimule l'île. Ça crève les yeux… »

Mon père regardait droit dans les yeux le président accroché dans son cadre doré sur le mur derrière le fonctionnaire.

*
**

Leó est assis devant le Parlement sur un banc de la place d'Austurvöllur. Il observe les étourneaux picorer les miettes de pain qu'il dissémine sur la pelouse. Ce sont de drôles de créatures, vives et bavardes : « Cui, cui. » Vient ensuite une série d'imbécillités que personne ne comprend. Pas même Leó qui a pourtant passé dans le pays autant de temps qu'eux, on peut presque affirmer qu'il est venu avec ces oiseaux noir cuivré tachetés de bleu métallique. Ils sont étrangers, ce qui n'échappe à personne même s'ils parviennent assez bien à imiter une espèce à plume aussi parfaitement islandaise que le merle. M. Thorsteinson, propriétaire sur la rue Ingólfsstræti, leur livre une lutte sans merci :

« Ils se faufilent comme des rats à travers la moindre ouverture. Ils s'installent sur tous les murs de la maison, pépiant sur toutes les poutres : vous entendez ce vacarme ? Et puis ces idiots sont de vrais sacs à puces. Ma femme s'éveille avec les nerfs à fleur de peau. Quant au chat, il ne leur accorde même pas un regard. Comment est-ce que vous vous débarrassez de ces oiseaux là-bas, dans le sud ? »

La cloche de la cathédrale sonne trois coups. Et précisément sept minutes plus tard, une seconde cloche donne une autre note. C'est le glas. La porte s'ouvre et le cortège funèbre s'avance lentement. Le cercueil est suivi d'un très vieil homme, soutenu par une jeune femme. À la vue des épaules et du torse puissants du vieillard, Leó devine qu'il s'agit là du champion de natation Helgi Steingrímsson, accompagné de sa fille. Le gendre les suit de près en tenant un bouquet de fleurs.

Hrafn W. Karlsson est debout au coin de l'Alþingi, le bâtiment du Parlement, les cheveux gominés, vêtu de son costume noir. Il a légèrement maigri : pour quelle raison n'a-t-il donc pas assisté à l'enterrement ? Leó se lève et incline sa tête en signe de respect pour le défunt. Le cercueil est placé dans le corbillard, le coffre est refermé et le moteur mis en marche.

Leó lève les yeux et aperçoit Hrafn W. Karlsson à la porte de l'église, les cheveux gominés, vêtu de son costume noir. Il a légèrement grossi.

Et le Hrafn à la porte de l'église salue son sosie debout au coin du bâtiment du Parlement avec un rictus fraternel.

« Vous n'êtes pas bien ou quoi ? »

Le fonctionnaire inspecte Leó avec attention. Ses yeux bleus délavés ne se détachent pas de lui.

– Eh bien, j'essaie juste de trouver mes mots pour vous expliquer pourquoi je ne dépose la demande que maintenant alors que cela fait si long-temps que je suis ici…

– Êtes-vous allé consulter un médecin ? »

Leó laisse glisser son regard le long de son corps, aurait-il l'air malade ? Comme c'est le cas quand les gens sont complètement habillés, on ne voit rien d'autre de lui que ses mains et sa tête, lesquelles devraient être en bon état, en tout cas, elles l'étaient la dernière fois qu'il s'est regardé dans un miroir.

« Et vous parlez islandais ? »

Le fonctionnaire martèle de son doigt le plateau du bureau, la discussion est en train de dérailler. Leó sent son front se couvrir de sueurs froides :

« Oui, comme je viens de vous le dire, je parle en effet is…

– Et vous êtes en possession d'un certificat médical ?

– Un certificat du médecin, oui, ah, je croyais que, ah, ah… »

Leó éclate de rire en guise d'excuse et tend au fonctionnaire l'enveloppe qu'Axel Freydal Magnússon lui a remise lors du dernier examen qu'il a passé. Le fonctionnaire l'ouvre, vérifie rapi-dement son contenu et coche la case prévue à cet effet sur la demande. Cela fait, il se lève, jette un œil à l'intérieur du couloir, ferme la porte puis s'avance jusqu'au rebord de son bureau :

« Bon, voilà : je suis en train de concocter une théorie sur l'origine des Islandais. Ça ne vous dérangerait pas que je vous l'expose ? Mon beau-frère n'y comprend rien, c'est un crétin, c'est avec lui que je discutais. Mais il peut facilement accéder au téléphone, tout comme moi. Et vous, avez-vous le téléphone ?

— Oui…

— Et vous l'utilisez beaucoup ?

— Disons, quand j'en ai besoin.

— Parfait. Vous savez que nous sommes, avec les Canadiens, le peuple qui se sert le plus du téléphone. Pour l'instant, ce sont les Canadiens qui gagnent, mais nous sommes numéro deux dans le monde. Eh bien, où en étais-je ? Ah oui, voyez-vous, quand les colons nordiques sont arrivés en Islande, ce n'étaient absolument pas des moines ermites catholiques qui traînaient ici avec pour seule occupation d'arpenter les côtes de l'île en y répandant de l'encens et en criant des alléluias aux monstres marins. Non, le pays était parfaitement peuplé, sur toute la longueur des côtes et jusqu'à l'intérieur des terres. Il y avait ici des créatures qui n'avaient pas plus cure de notre Seigneur Dieu que de quelque Père universel que ce soit… »

Leó est interloqué. Le fonctionnaire le dévisage longuement avant de lui demander :

« Vous ne vous êtes jamais plongé dans les sciences islandaises ?

— J'ai suivi les cours du Dr Fróðason.

— Bah, qu'est-ce qu'il y connaît ? »

Leó comprend que le fonctionnaire n'attend aucune réponse de sa part, il garde donc le silence. Le fonctionnaire allonge le bras pour attraper une pierre grosse comme un poing posée sur une pile de documents à l'extrémité du bureau. Il la soupèse dans sa main puis la tend à Leó.

« Par exemple, que croyez-vous que ce soit ? »

Le fonctionnaire abaisse les sourcils de son œil droit tout en haussant ceux du gauche. Leó examine la pierre. Elle est marron, tachetée de blanc en surface, mais la tranche de coupe est lisse et laisse apparaître un insecte fossilisé : une abeille.

« C'est un fossile.

— Exact, et d'où croyez-vous qu'il vienne ? »

Leó secoue la tête.

« Allez, devinez…

— Je n'en sais rien…

— Devinez…

— Eh bien, de France… »

Le fonctionnaire s'esclaffe :

« De France ? Non, mon cher monsieur, cette chose-là vient de la montagne Esja. »

Il lève son bras pour montrer par la fenêtre la

montagne chère à tous les habitants de Reykjavík, tel un tableau dans son cadre.

« Et qu'est-ce que ça prouve ? reprend le fonctionnaire.

– Qu'il y avait des abeilles ici autrefois ?

– Exact, et qu'est-ce que ça prouve ? »

Leó se tait. C'est d'ailleurs son interlocuteur qui maîtrise l'ensemble du raisonnement.

« Cela prouve qu'on trouvait ici du miel à foison, n'est-ce pas ? »

Le fonctionnaire pose ses fesses sur le bord de son bureau :

« Cela prouve que les Grecs avaient raison ! Ici vivaient les Scrithiphins, les Panthéistes et les Buveurs d'hydromel. L'Islande est l'ancienne Thulé, où vivaient les plus féroces des guerriers, ou devrais-je plutôt parler de bêtes sauvages, bien longtemps avant l'arrivée des Papar, les anacho-rètes irlandais ou des Scandinaves.

» Il y avait surtout des Scrithiphins, bien que, personnellement, je sois persuadé que les Grecs n'avaient pas compris qu'il s'agissait en réalité d'un seul et même peuple et que les termes « Pan-théistes » et « Buveurs d'hydromel » renvoient simplement à des professions. Les Scrithiphins étaient des sauvages complètement détraqués qui se nourrissaient de la chair de leurs congénères et de celle des infortunés voyageurs. On s'imagine facilement les crèches où les nourrissons

135

scrithiphins étaient accrochés à chaque branche d'arbre dans des poches en cuir, hurlant délicieusement à la mort et grommelant de plaisir quand ils ne suçaient pas la moelle des phalanges ou des côtes de quelques malheureux marins étrangers.

» Vous êtes surpris, personne ne vous a jamais parlé de tout ça. Ça n'a rien d'étrange, on ne l'ouvre pas trop sur la question. Les manuels d'histoire sont censurés et si les auteurs de guides de voyage étrangers se risquent au moindre mot là-dessus, alors tout le monde monte sur ses grands chevaux et on paie quelqu'un pour débiter encore une fois les fadaises selon lesquelles nous descendrions de chefs norvégiens.

» Les récits de voyages en Islande mentionnent constamment qu'ici, les gens trouvaient naturel de donner leurs enfants à qui les voulait, mais qu'ils exigeaient en revanche un prix élevé en échange de leurs chiens, lesquels étaient invariablement décrits comme sans queue, sans oreilles, mal élevés et féroces. On n'apporte que peu de précisions sur ces enfants, en dehors du fait qu'on dit qu'ils venaient généralement d'une fratrie comprise entre treize et dix-huit. Enfin, les Islandais se sont élevés contre cette pratique qui a peu à peu été oubliée.

» Mais je vous le demande : quel intérêt des Anglais, des Allemands, des Hollandais, des Français qui avaient écumé toutes les mers du globe avaient-ils donc à venir acheter des chiens sans queue en Islande ? Et pourquoi mentionne-t-on toujours les enfants dans les récits relatant le commerce des chiens ? Avez-vous réfléchi à la question ? Non, le cœur du problème est que tout cela a été étouffé avec tellement de soin que plus personne ne s'en souvient. Vous habitez ici depuis, disons, treize ans et vous n'en avez jamais entendu parler. Évidemment qu'il ne s'agit pas uniquement de chiens qu'on vend et de gamins qu'on donne gratuitement. »

Il marque une pause afin de mettre en valeur ce qui suit :

« Les chiens en question n'étaient autres que des loups-garous.

– Ah, je vois…

– Ce que Brefken, Peerse, Krantz et bien d'autres hommes respectables apprenaient au vaste monde, c'est que notre pays se prêtait au commerce des loups-garous. C'étaient des marchands qui avaient beaucoup navigué et il fallait que leurs hommes lisent entre les lignes. La principale raison d'être de toutes les imbécillités dont ils agrémentaient leurs récits était d'éloigner les autres du pays en les effrayant : ils ne voulaient pas voir n'importe qui venir piller les stocks. Il n'y a pas à en rougir. C'est comme ça que ça ce passe dans tous les bizness… »

Quelqu'un frappe à la porte. Le fonctionnaire tressaille, ôte subitement ses fesses du bureau et se remet debout.

« Oui ? »

La porte s'ouvre, un homme aux cheveux bruns avec un visage aigu et des oreilles en pointe entre. Il fait un signe de la tête en apercevant Leó avant de s'adresser au fonctionnaire :

« Vous passerez peut-être me dire un mot tout à l'heure quand vous aurez terminé ? »

Le fonctionnaire lui répond qu'il le rejoindra d'ici un quart d'heure. On ne peut plus satisfait, l'homme prend congé. Dès que la porte s'est refermée :

« Savez-vous qui il est ?

— N'est-ce pas le ministre ?

— Avez-vous remarqué cette expression sur son visage ?

— Il a l'air bienveillant des hommes qui veillent sur la nation.

— Oui, d'accord, mais vous ne trouvez pas quand même qu'il ressemble au garçon qui joue dans *Le Loup-Garou**.

— Eh bien, peut-être la coiffure…

— Parfaitement ! Alors, laissez-moi maintenant vous dire ce que mangent les loups-garous : neige et noir de nuit. Quel autre endroit serait mieux choisi que précisément l'Islande ? En effet, comment s'expliquerait autrement la présence de toutes ces histoires traitant d'hommes noirs – on entend par là des colosses à la chevelure et aux épais sourcils noirs – au sein de notre héritage

138

historique ? Hein ? Un Britannique est venu ici, un certain Sabine Gould-Baring : il a parcouru le pays pendant l'été 1861 et publié le récit de son voyage en 1863. Excellent livre qui ne dit pas un mot sur les loups-garous.

» Parfait, parfait… Deux ans plus tard, voilà qu'il publie un livre sur les loups-garous. Simple hasard ? Je ne le crois pas. Et d'où tenait-il donc la plupart de ses informations à leur sujet ? De sources islandaises. Est-ce qu'il était fou ? Eh bien non ! Il possède à son actif une trentaine de romans, pratiquement deux cents publications scientifiques ainsi qu'une histoire des saints en seize volumes, sans parler du fait que c'est lui qui a écrit les paroles de l'hymne *Onward Christian Soldiers**. Un grand intellectuel… »

Le fonctionnaire regarde sa montre, son débit s'emballe :

« Oui, nous avons aussi Bram Stoker qui affirme très clairement dans *Le Pouvoir des ténèbres*, à moins que ce ne soit Dracula en personne, que ses ancêtres descendent de loups-garous islandais. Croyez-vous que ce soit un hasard si nous, Islandais, avons les crânes les plus allongés de la terre ? En résumé, il y avait des loups-garous en Islande quand les Scandinaves y ont posé le pied. Et évidemment, les sangs se sont mêlés, enfin, peu importe. Les signes physiques sont encore visibles. Êtes-vous capable de faire ça ? »

Le fonctionnaire se pencha en avant, il fit descendre son sourcil gauche jusqu'à la joue en faisant remonter le droit jusqu'à la racine de ses cheveux. Ce fut bien en vain que Leó s'efforça de l'imiter.

« Voyez-vous, je descends d'Egill Skallagrímsson, contrairement à vous. Le sang du loup-garou coule dans toutes les veines de cette famille. Son grand-père s'appelait Kveldúlfur, ce qui signifie Loup du Soir et la pleine lune le rendait complètement fou. Aujourd'hui, il y en a qui racontent que c'était un malade mental, un maniaco-dépressif. Eh bien, non, mon cher monsieur, c'était un loup-garou tout poilu… »

Jamais de sa vie mon père n'avait entendu une explication aussi oiseuse pour justifier l'épaisseur des sourcils ou la pilosité débordante d'une barbe. Le fonctionnaire attrapa un stylo dans la poche de sa chemise, étendit son bras et griffonna quelque chose sur une feuille derrière lui en marmonnant :

« Skallagrímur Kveldúlfsson. Aptitude à se dédoubler, dédoublement, capable de se dédoubler… »

Il se leva et passa derrière son bureau :

« Eh bien, mon ami, j'avais simplement envie de vous soumettre tout cela. Ma théorie n'est pas encore aboutie, je dois l'exposer lors de la prochaine réunion de la Loge, je me suis dit que c'était une bonne idée d'en discuter là-bas. Ça sert toujours d'avoir l'opinion des autres sur ses propres spéculations, tant qu'on en est encore au stade de la réflexion. »

Le fonctionnaire lissa la feuille de sa main, il oublia tout à coup ses précoccupations scientifiques.

« Où en étions-nous ? Ah oui, cette histoire de nom. Vous savez que vous devez choisir un prénom islandais… »

Leó avait bien préparé cette partie de la demande.

« J'ai pensé à Starri.

— Starri, oui, très bonne idée. Puis-je vous demander pourquoi ? »

Leó se contenta de répondre qu'il trouvait que c'était beau.

« Et, vous êtes fils de… ?

— Mon père s'appelait Abraham. »

Le fonctionnaire griffonna le nom de Starri Abrahamsson sur une feuille de bloc-notes qu'il agita devant lui en haussant les sourcils.

« Ça devrait aller. Il me semble que nous en avons terminé. Votre affaire sera examinée à la session parlementaire de printemps, elle passera comme une lettre à la poste, simple formalité… »

**

« Mais pourtant tu ne t'appelles pas Abrahamsson…

— Parfaitement, mais j'y reviendrai plus tard. »

9

Justement, nous y revenons. Le très respecté Premier ministre également chargé de l'Agriculture et de la Justice monte à la tribune au titre de sa troisième attribution. Leó se redresse sur son siège. Il y a deux heures et demie qu'il est assis sur les bancs de l'assemblée dans l'attente de cet instant précis.

Entre-temps, il a assisté aux débats sur l'extension des eaux territoriales à douze milles marins. La discussion a atteint son point culminant au moment de la présentation d'une proposition de résolution parlementaire stipulant que si les Anglais protestaient, les Islandais exigeraient d'obtenir la domination des îles Hébrides que les colons islandais avaient occupées avant de trouver refuge en Islande au IXe siècle. L'orateur a conclu en précisant qu'il avait d'ores et déjà rédigé une proposition allant dans le sens de la reconquête du Groenland, de Terre-Neuve, de la côte occidentale de la Norvège, de New York et de l'ensemble de l'Irlande. Les discussions ont été ajournées.

La parole est maintenant au ministre de la Justice :

« Monsieur le président, je vais porter à votre connaissance une proposition du gouvernement concernant l'attribution de la nationalité… »

À ces mots, l'hémicycle s'emplit de murmures. Leó se penche en avant par-dessus le garde-corps afin de voir ce qui se passe. Des parlementaires quittent la salle, du reste, c'est l'heure de la pause-café. Certains d'entre eux restent toutefois à leur place et Leó a l'impression qu'ils attendent, impatients, que le ministre poursuive son intervention. Au moment où il commence à lire les noms des heureux élus, Leó a du mal à respirer. Son cœur se débat à l'intérieur de sa poitrine, il se débat de plus en plus fort au fur et à mesure que la liste du ministre s'allonge et qu'approche son nom. Il est à bout de souffle.

« Leó Löwe, ci-après dénommé Skallagrímur Kveldúlfsson. »

Leó expire en un sifflement d'une telle force que le monde parlementaire se drape dans sa dignité tout en cherchant des yeux le bruyant ballon de baudruche. Il s'arme de courage, toussote en guise d'excuse et se met à l'écart derrière un pilier. Il s'agit là d'un affreux malentendu, il n'a aucune envie de s'appeler Skallagrímur Kveldúlfsson. Une fois que le ministre a achevé la lecture de sa proposition de loi concernant les nouveaux citoyens islandais, Leó jette un œil de l'autre côté du pilier. Il balaie désespérément les

144

lieux du regard puis aperçoit le fonctionnaire qui a traité sa requête. Celui-ci se trouve dans une salle attenante à l'hémicycle, avec ses épais sourcils et une pile de dossiers dans les mains.

Comment Leó doit-il réagir ? Il s'efforce de capter l'attention du fonctionnaire en levant la main, mais en vain. En outre, il veut se garder d'attirer encore plus l'attention sur lui. Si les députés remarquent sa présence, le président risque de la considérer comme une gêne au déroulement des travaux de l'assemblée et il sera expulsé. Dans ce cas, ils découvriront également son identité et, alors, c'en sera terminé de son rêve de devenir Islandais. Par voie de conséquence, il n'aura plus aucun espoir d'éveiller son petit garçon à la vie. Il se fait tout petit sur son banc. Condamné à porter le nom de Skallagrímur Kveldúlfsson – pour autant que sa requête soit effectivement acceptée.

La session suit son cours avec les discussions afférentes à la proposition de loi. Au début, les parlementaires semblent ne rien avoir à redire. Un député se renseigne sur le compte d'une Hongroise qu'il sait avoir déposé une demande. Pourquoi donc ne figure-t-elle pas sur la liste ? Le président de séance suggère au député de déposer un amendement s'il lui importe à ce point que la femme en question obtienne la nationalité. À ce stade, tout indique que la discussion est close.

Mais au moment où le président s'apprête à faire voter la loi, un homme se lève de son siège, un homme d'une si haute taille que Leó a l'impression qu'il ne va jamais finir de se mettre debout. Il oublie son malheur l'espace d'un instant en regardant la montagne humaine s'avancer chancelante jusqu'à la tribune où elle pose trois doigts, à l'endroit qui l'instant d'avant avait accueilli toute la main du ministre de la Justice. Leó n'a jamais vu d'homme aussi grand, à moins d'avoir payé pour cela et il ne le quitte pas des yeux.

Le président de séance le présente :

« Monsieur le troisième député à titre compensatoire… »

Le géant grommelle à voix basse en dodelinant de la tête :

« Avec la permission de monsieur de président ? »

Le président hoche la tête et accorde la parole au député. Le colosse prend longuement sa respiration en laissant quand même un peu d'air dans la salle pour le reste de l'assistance. Il est réputé pour prononcer l'ensemble de ses discours en vers. Le voilà qui prend la parole, faisant trembler les murs du Parlement des Islandais :

Chanson parlementaire

A-t-on vrai et juste entendu
Ou bien ai-je raison perdu ?
Froisse la salle fâcheuse fable
Insulte du nom inviolable.

Nul ne souffrira qu'étranger
Honneur illustre vienne souiller
Du père d'ancêtre cher à nos cœurs
Du père d'Egill, sans sourciller

Depuis sa glaciale couche, le fils
Du Loup de la Lune nous maudit :
L'impoli bouffon qui se rit
Ne saurait être suivi.

Votre honneur se verra flétri
Oyez les siècles qui entonnent : Honte ! Honte !
Mais des plus clairement j'aurai dit :
Oyez, c'est moi Skúli qui tonne : Nenni, nenni !

À ces mots, un brouhaha désapprobateur se répand parmi ceux des députés qui n'ont pas quitté la salle. Le sifflement émis par Leó tout à l'heure avait eu pour effet de laisser échapper la monstruosité à leur attention, mais maintenant que la voilà soulignée d'aussi vigoureuse manière, ils se doivent de s'insurger de toutes leurs forces. C'est leur sang qui les appelle au devoir d'œuvrer pour la justice, le rythme des quatrains qui les rappelle à ce qu'ils sont, ce chant d'Islande qui appelle le rouge à leurs joues. Bien qu'il n'ait qu'imparfaitement compris les paroles de la chanson, Leó en a saisi assez pour voir qu'il est en mauvaise posture. La voix tonitruante du colosse semble s'être propagée

147

jusqu'à la cafétéria, puisque l'hémicycle s'emplit en un clin d'œil, de même qu'augmente le nombre de ceux qui désirent s'exprimer. Le frère jumeau de Hrafn W. Karlsson passe dans les rangs pour verser de l'eau dans les verres des députés, qui s'apprêtent à prendre la parole et la situation en main.

Le ministre ne trouve pas que l'incident prête à rire et si nous n'étions pas certains que la théorie des loups-garous relève de la plus pure lubie, en ce moment il se transformerait sous nos yeux. Au lieu de cela, il indique au fonctionnaire de venir le rejoindre et l'homme aux épais sourcils avance en se faisant tout petit. Il se faufile en s'excusant derrière les sièges des membres du gouvernement et se plonge dans le dossier avec le ministre.

Leó se presse tout contre le pilier : vu la tournure que prennent les choses, il vaut mieux jouer de discrétion. Messieurs les députés venus de telle et telle circonscription, issus de tel et tel parti se sentent obligés d'apporter leur contribution. L'un se perd en questions :

« Est-ce là le progrès ? Faut-il s'étonner que nous nous interrogions ? Que vaut notre grandiose héritage des sagas si des plaisantins venus de n'importe où peuvent débarquer ici et s'attribuer le nom de nos illustres ancêtres ? Est-il dans leurs intentions de ressusciter la période de la colonisation ? Est-ce bientôt dans l'annuaire téléphonique et non plus sur les prairies des immortels que nous allons retrouver Hjörleifur et Ingólfur, les premiers colons ? Est-ce par l'affirmative que nous devrons désormais répondre à ces questions ?

Les trois intervenants suivants reprennent en majeure partie les propos du précédent tout en se demandant si Ingólfur, le premier colon de l'Islande et fondateur de Reykjavík, est allé à la Valhöll, le paradis des guerriers ou dans les Enfers glacés de Hel. Un député à titre compensatoire venu de la campagne déclenche un éclat de rire général dans l'hémicycle quand il déclare qu'étant donné la situation régnant actuellement dans la capitale, son fondateur doit moisir en enfer. Mais ce n'est rien qu'un petit interlude et le sérieux de l'affaire reprend le dessus. Même les communistes – dont il est vrai qu'ils ont déjà pris un autre nom à ce point de l'histoire – sont consternés. Celui-là porte des lunettes à monture dorée :

« Je dois avouer que le gouvernement me semble en mauvaise posture s'il laisse passer une chose pareille sans l'ombre d'une critique. Je soutiens le gouvernement, je n'ai pas le choix, je le soutiens. Mais je refuse de donner mon assentiment à une telle monstruosité. Je désire attirer l'attention de messieurs les députés sur un article paru récemment à propos des prénoms… »

Il brandit la revue littéraire du parti socialiste au-dessus de sa tête :

« On y découvre que notre nation se perd dans

une sorte de parodie générale quand il s'agit de baptiser les enfants : Dion, Lucky, Byron, Roy… »

Il feuillette :

« Gibbon, qui, notez bien, désigne un type de singes, Oliver, Wayne en guise de deuxième prénom, j'en passe et des meilleures. Quelle est l'explication du phénomène ? Le quotient intellectuel des Islandais aurait-il dégringolé ? Non, il vit ici un peuple intelligent et doué, ce que le Parlement ne saurait contester. Mais nul ne saurait résister au nombre. La déferlante de la culture américaine de bas étage s'abat sur le pays, digne descendante de l'armée d'occupation basée à la station atomique de Keflavík. Pas plus tard qu'hier, j'ai entendu des jeunes parler de leurs parents en les appelant "chick" et "guy"… »

Le député se perd dans la polémique sur la base américaine et les sifflets lui imposent silence. Le suivant souligne que les parents se doivent d'être charitables envers leurs enfants en leur attribuant de jolis prénoms dont les autres ne se moqueront pas : par exemple, c'est une charmante coutume que de baptiser un enfant du prénom d'un ancêtre défunt. Surtout si l'aïeul en question est venu le leur demander dans un rêve. En ce qui le concerne, le député qui s'exprime a été baptisé en l'honneur de son arrière-grand-mère et il s'appelle Annas en deuxième prénom.

Tout au long des interventions, Leó sue à grosses

gouttes, caché derrière son pilier. Jamais il n'a été dans ses intentions de semer la discorde au sein de la nation qui l'a accueilli pendant les quatorze années écoulées depuis le moment où on l'a débarqué à terre, lui, cette pauvre loque étrangère. Son plus ardent désir est de la soutenir, et non d'en saper la cohésion.

L'assemblée se disloque, les cris fusent dans l'hémicycle et les députés ne prêtent pas plus d'attention aux clochettes tintinnabulantes qu'aux rappels à l'ordre du président de séance :

« Quel nom porte cet homme ?

– Leó, il s'appelle Leó Löwe.

– Ne pourrait-il pas simplement continuer à s'appeler ainsi ?

– Mais cela n'a rien d'islandais !

– Je m'en excuse, mais le hasard veut justement qu'habite en notre ville un petit garçon qui s'appelle lui aussi Leó Löwe. Autant que je sache, on ne l'a pas envoyé au trou pour ce crime…

– Et qui sont ses parents ?

– Il est de parents islandais…

– Dans ce cas, c'est une toute autre affaire !

– Dites-moi, que veut dire Leó ? Cela signifie bien Lion, n'est-ce pas ?

– Ce qui est également le sens de Löwe…

– Cet homme s'appelle donc Ljón Ljónsson, autrement dit Lion Fils de Lion ? »

Rires dans la salle.

« Monsieur le Premier ministre également en charge de la Justice aurait-il perdu sa langue ? »

Non, c'est que le ministre de la Justice prend conseil auprès du fonctionnaire qui a passé son temps à courir de toutes parts dans la salle pendant les discussions. Le ministre signale maintenant au président du Parlement qu'il désirerait prendre la parole. Il se dirige vers la tribune et attend l'apaisement du monde parlementaire.

« Monsieur le président, je viens de procéder à un examen de cette affaire avec mes collaborateurs du ministère de la Justice… »

Leó jette un œil de l'autre côté du pilier.

« Il semble en effet que le nom Skallagrímur Kveldúlfsson ait été inscrit par erreur dans le cadre prévu à cet effet. Je suis convaincu que l'intéressé n'est en rien responsable de la chose, du reste, c'est un homme absolument sans tache comme l'atteste le certificat du chef de la police qui a été joint à sa demande… »

Leó se sent soulagé. Il soupire discrètement : voilà que tout s'arrange. Le ministre poursuit :

« Cependant, comme nous ne sommes pas parvenus à le joindre en dépit de nos tentatives réitérées et qu'il ne se trouve ni sur son lieu de travail, ni à son domicile, nous n'avons aucun moyen de savoir le nom islandais qu'il désirerait prendre. Cela signifie que deux choix s'offrent à nous : soit nous retirons son nom de cette proposition de loi et nous examinerons sa requête l'année… »

Le ministre de la justice ménage une pause et parcourt la salle du regard. S'il levait les yeux, il apercevrait toute la tristesse qui afflige mon père : il ne peut maintenir un degré d'humidité convenable chez l'enfant d'argile que pour une période limitée. Le lait de chèvre joue son rôle, mais la glaise ne va pas tarder à se disloquer. Que fera Leó si jamais cela se produit ? Il pense avec horreur qu'il devra à nouveau pétrir le petit garçon, effaçant ainsi toute trace de la main de sa mère.

Le ministre :

« Soit nous lui trouvons un nom ici et maintenant. Il lui sera toujours possible d'en changer ultérieurement, conformément aux lois en vigueur. Je répète qu'il s'agit là d'une erreur, le gouvernement n'avait aucune intention d'introduire en douce un Skallagrímur Kveldúlfsson dans les registres de l'état civil. Et je préviens vigoureusement les partis d'opposition de s'abstenir de toute tentative d'utiliser cette affaire. Nous qui sommes nés Islandais et avons été élevés ici devrions comprendre toute l'impatience dont est animé le cœur d'un individu qui attend que la nationalité lui soit accordée. Pour des questions d'humanité, je propose que nous options pour la seconde solution. »

Les députés répondent en chœur :

« Bravo, bravo… »

Et se mettent aussitôt à griffonner tel ou tel nom sur leurs papiers. Mais le ministre lève la main afin de clore son intervention :

« Afin que nous ne perdions pas plus de temps que nous l'avons déjà fait sur cette affaire, le gouvernement propose la chose suivante : comme il est apparu, la traduction directe du nom de Leó Löwe donnerait : Ljón Ljónsson. Voilà qui ne va évidemment pas cependant, en procédant à une minuscule modification, nous obtenons un nom tout à fait islandais et parfaitement convenable : « Jón Jónsson. »

La proposition est mise au vote.

Et acceptée.

« Bravo, bravo ! »

10

Jón Jónsson pêche à la ligne dans le port. Il est désormais citoyen islandais et en vertu du Code la nationalité, il peut pêcher comme bon lui semble dans les précieuses eaux territoriales de la nation. C'est ainsi qu'il entend fêter cette journée : en allant pêcher sa pitance directement dans l'océan.

« Alors, ça mord ? »

La voix est profonde et chantante. Mon père lève les yeux et aperçoit un Noir bien charpenté. Il porte un manteau en poil de chameau, des lunettes à monture dorée et tient une petite valise. À en juger par la forme, celle-ci contient une trompette. Un jazzman américain, pense Leó, bien qu'il trouve quand même étrange que l'homme s'exprime en islandais.

« J'arrive tout juste.

– Mais bonjour ! »

Le Noir s'avance vers Leó avec la main tendue :

« Vous ne vous souvenez pas de moi ? Non, bien sûr, vous ne pouvez pas vous souvenir. »

Leó serre la main de l'homme tout en l'observant d'un air poli : décidément non, il ne le remet pas. S'il l'avait déjà vu, il se souviendrait de lui, et encore plus s'il l'avait rencontré : c'était tout de même un Noir.

« Bonjour… »

Leó hoche la tête en attendant la suite.

« J'étais avec vous sur le paquebot *Goðafoss*. Vous étiez drôlement malade, mon vieux. Complètement hors du… »

Le Noir éclate de rire :

« Vous m'avez couvert de honte, vous avez ronflé pendant l'hymne national !

– Ah bon ? J'en suis navré.

– Pardonnez-moi, j'ai complètement oublié votre nom.

– Je m'appelle, eh bien, je m'appelle Jón Jónsson.

– Pas possible, j'aurais juré que vous étiez étranger. »

Étranger ? Non, mais qu'est-ce qu'il entend par là ? S'il y a un étranger ici, c'est plutôt lui, avec sa peau noire comme du charbon. Pourtant, comme Leó est maintenant devenu islandais, il se doit de réagir en tant que tel.

« Vraiment ? Merci beaucoup.

– Je vous en prie. Anthony Theophrastos Athanius Brown.

– Hein ?

156

« – Appelez-moi simplement Tony, comme tout le monde…

– Parfait, je vais essayer de m'en souvenir. »

Tout à coup, voilà que ça mord. Mon père ramène sa ligne avec le poisson au bout. Il le détache de l'hameçon et s'apprête à le rejeter à la mer quand Anthony le retient par le coude.

« Attendez ! Les comme ça, je sais les préparer. »

Leó le reconnut à la pression de sa main sur son bras.

*

« Comment se fait-il que vous portiez ce drôle de nom ? »

Attablé dans la cuisine de la rue Ingólfsstræti, Anthony Theophrastos Athanius Brown coupait des oignons et des carottes. Quand Leó lui avait annoncé qu'il avait obtenu la nationalité islandaise plus tôt dans la journée, Anthony avait trouvé impossible de ne pas célébrer l'événement ensemble, eux qui étaient d'anciens compagnons de voyage. Et puisque Leó avait précisé qu'il rentrait chez lui, ils fêtèrent ça à son domicile.

« En réalité, tout est parti d'un malentendu. »

Mon père raconte à Anthony l'inénarrable histoire. Celui-ci la trouve si comique qu'il en pleure – et parvient à vexer Leó trois fois par ses éclats de rire. Entre deux, Leó est emporté et secoué de quintes. Anthony s'avance en gloussant vers la cuisinière :

« Mon pauvre garçon, pourquoi diable aller demander la nationalité ? Je suis ici depuis aussi longtemps que vous et ça ne m'a même pas effleuré l'esprit. »

Leó s'étonne. Ce type doit être en train de lui mentir. Bien qu'il soit arrivé en même temps que lui en Islande et qu'il parle convenablement la langue, il est absolument impossible qu'il habite ici. En vertu de quoi aurait-il obtenu un permis de séjour plus que les autres gens de sa race ? En effet, les Noirs sont ici aussi rares que les orages, non, aussi rares que les pieds de vigne, non…

Toujours est-il que ça ne colle pas :

« Vous êtes resté en Islande pendant tout ce temps ? Depuis mil neuf cent quarante-quatre ? »

Anthony racle la planche pour verser les morceaux dans le moule à gratin où il a déjà mis le chabot, accompagné de tomates épépinées, de céleri rave et de persil.

« Est-ce que je vous ai dit ça ? J'ai dû mal m'exprimer. Dites donc, vous en avez de beaux légumes, où est-ce que vous les trouvez ?

– Ce sont des gamins qui font du porte-à-porte dans le quartier. Je crois qu'ils les vendent pour leur père. »

Leó n'entend pas laisser l'homme s'en tirer aussi

facilement. Et puis, qu'est-ce qui lui dit qu'il n'est pas venu à cause de son petit garçon, ou encore de son activité d'alchimiste ? C'est en réalité la première fois qu'il invite un inconnu à son domicile. Et que se passera-t-il si l'homme venu empoisonner les étourneaux a vu quelque chose bien que Leó ne l'ait pas quitté des yeux au cours de la demi-heure qu'il lui a fallu. Non, il ne peut pas se permettre de prendre le moindre risque.

« Je suis désolé, mais je me vois dans l'obligation d'écourter votre visite.

– Comment ça ?

– Je ne saurais tolérer que mes invités me mentent.

– Pardonnez-moi, mon vieux, mais il est inutile de prendre ça aussi mal.

– Je vous ai clairement entendu dire que vous habitiez ici depuis quatorze ans. Je vous remercie de votre visite. »

Leó croise les bras et hoche la tête d'un air résolu. Anthony lève les bras au ciel :

« *All right*, mais ne le répétez à personne. En fait, il s'agit d'un secret d'État. »

Leó promet. Anthony inspire profondément avant d'annoncer, les dents serrées :

« Je suis ici aux frais de la faculté de théologie. »

Les deux hommes sont assis dans la salle en manger et prennent leur café pendant que le théologien raconte son histoire. Après avoir brièvement survolé la plupart de ce qu'il avait raconté à mon père à l'époque, il reprend le fil de sa narration à l'endroit où il l'avait laissé dans la cabine du paquebot il y a bientôt quatorze ans. Anthony Brown était en fait spécialiste en théologie comparée. Ce genre de spécialité exige une mémoire colossale étant donné que la science en question rivalise avec l'entomologie pour ce qui est du nombre des personnages et des acteurs impliqués.

« Oui, mon vieux. Comme je vous l'ai déjà dit, j'étais couché dans la rue avec ce tas de chenapans en dessous de moi. Le type bien habillé nous surplombait et nous observait comme de drôles de phénomènes sortis des profondeurs. Je le regardais du coin de l'œil en m'attendant à ce qu'il me donne un coup sur la tête. Mais au lieu de me frapper, ce que je méritais évidemment, il avança sa canne à pommeau d'argent pour en piquer le postérieur de mes agresseurs. Ils poussèrent des cris et j'ai remarqué qu'il s'amusait intérieurement de voir à quel point ils étaient gênés de sentir la canne si proche de leur anus : il était très clair que c'était précisément l'endroit qu'il visait tout en se faisant un jeu de ne jamais atteindre sa cible. Enfin bref, je n'avais plus le courage de retenir cette bande de blancs-becs merdeux et ils déguerpirent. Je me suis remis debout, j'ai enlevé la poussière de Nigertown de mes vêtements. Le gars bien habillé m'a tendu sa carte en m'invitant à lui rendre visite.

» Le lendemain, mon prêcheur de père m'emmena au commissariat central d'Atlanta. Il était aussi certain que moi que cette carte de visite était mon billet d'entrée pour quelques années de travaux forcés au cours desquelles je passerais mon temps à casser des cailloux sous la houlette du président Woodrow Wilson. Cependant après avoir attendu au commissariat pendant six bonnes heures, nous avons appris que je n'avais commis aucun acte répréhensible, mais qu'un Nègre aussi grand et fort que moi devrait quand même y aller doucement. J'en fis la promesse et mon père me donna un coup de poing dans la figure afin que les policiers comprennent bien que j'étais sérieux.

» Ensuite, nous sommes allés au bureau de poste par le chemin le plus court et, là, nous avons appris que la carte que j'avais en ma possession n'était autre que celle d'un certain lord Butter-Crumbe, demeurant à la plantation de Beau-Soleil. À ces mots, j'ai décidé que quoi qu'en dise mon père, j'apprendrais à lire. J'allais vers mes douze ans et je soupçonnais que la vie avait autre chose à offrir que des histoires tirées de la Bible, l'élevage de serpents ou encore des coups de poing dans la figure.

» Le quartier de Nigertown était au départ un ensemble de taudis d'esclaves situé aux abords de

Beau-Soleil et ma famille ne savait pas grand-chose de cette plantation excepté les affreuses histoires qu'on racontait à son sujet. Par conséquent, il n'est pas surprenant que mon père et moi ayons eu les genoux tremblants lorsque, quelques jours plus tard, nous soulevions ensemble le lion en laiton qui servait de heurtoir à la porte de la bâtisse. Le lion retomba avec un bruit sourd.

» Ce type-là était complètement de l'autre bord, mon père et moi on l'a compris dès qu'on a mis le pied dans l'entrée ou plutôt dans le hall tout décoré de statues et de tableaux d'hommes nus. Mais grand et fort comme je l'étais, je ne me laisserais pas faire par une omelette comme lord Butter-Crumbe. Ainsi s'exprima à peu près mon père une fois qu'il eut conclu avec le lord un accord stipulant qu'à partir du lendemain, je serais placé sous sa garde.

» Que voulait donc cet homme au plus jeune des fils de Jimmy Brown ?

» Eh bien, le lord avait trois passions. Il cultivait un intérêt anthropologique pour les combats de lutte, un intérêt sexuel pour les hommes nus et un intérêt théologique pour les « Nègres », mot qu'il utilisait pour parler de moi et de mes semblables. Il veillerait à mon entretien et à mon éducation jusqu'à l'université si je consentais à pratiquer la lutte sous sa direction, tel que la nature m'avait conçu, homme noir et nu que j'étais. L'événement remonte à mil neuf cent dix-sept. Le fait que cet homme m'ait pris en main m'a sauvé la vie. Cette année-là, mes six frères aînés ont péri pour pas grand-chose dans les tranchées en Europe.

» Enfin bon, la mise en œuvre des théories du bonhomme m'a conduit à étudier la théologie ou plutôt les mythologies grecque et romaine parallèlement à ma pratique de la lutte. En alliant étroitement savoir et méthode, je suis parvenu, par exemple, à me familiariser avec tous les mythes concernant Hélios pendant que je pétrissais mes adversaires. Voilà pourquoi, quand on m'a enfin envoyé étudier à l'université de Berkeley qui accueillait les gens comme moi à titre expérimental, le plus naturel a été que je m'inscrive en faculté de théologie. Ça a plutôt bien marché en ce qui me concerne : je luttais et j'étudiais, je ne connaissais rien d'autre. Après l'université, j'ai pas mal vadrouillé, je me suis occupé de rechercher et de collecter du matériel sur les cinq continents. En général, je ne restais jamais bien longtemps au même endroit. C'est ici que je me suis le plus attardé depuis que j'ai quitté Nigertown, à l'âge de onze ans.

» Il est arrivé qu'à la fin de la guerre, une lettre m'a été envoyée de la faculté de théologie de Reykjavík. Ayant entendu, eh bien, comme on dit, d'immenses éloges sur mon compte, ils m'ont demandé de mettre au point un cursus d'histoire comparée des religions ici en Islande. C'était pour moi à la fois un plaisir et un devoir, puisque j'avais toujours eu envie de venir voir de mes yeux l'héritage mythologique nordique. Voilà pourquoi je me trouvais à bord du paquebot *Goðafoss* lors de notre première rencontre.

» On vous a débarqué sur une civière et moi, on m'a arrêté. Naturellement, je suis descendu à terre comme tout le monde, mais personne n'avait été envoyé pour m'accueillir. Certes, je soupçonnais que les trois hommes assis dans une voiture non loin de là étaient à ma recherche, mais avant même que j'ai eu le temps de me manifester, la poulaille est venue pour me coller en taule. Tout s'est arrangé quand je leur ai montré la lettre de la faculté. On avait oublié de préciser à ceux qui venaient m'accueillir que j'étais noir de peau. À part ça, je n'ai pas eu à me plaindre. Je vis plus ou moins comme une ombre, je ne me suis jamais rendu à l'université, c'est eux qui viennent me voir pour me consulter en cas de besoin.

» Cela dit, le chalet que j'occupe à Þingvellir est vraiment mignon, je suis bien payé – et pour sacrifier à la coutume islandaise, je n'occupe pas qu'un seul emploi. Je suppose que ce qui me manque le plus, c'est la possibilité de lutter. Les gens d'ici ne sont pas très enclins à combattre avec un Noir, mais j'ai déjà été confronté à ce problème ailleurs. Un jour, j'ai quand même lutté contre Helgi Hjörvar.

Un vrai dur à cuire. Nous avons un ami commun en Amérique.

» Voilà, mon vieux, telle est mon histoire. »

**

Leó se penche sur le garçon d'argile pour le baigner dans le lait. Anthony est parti depuis un moment. Ils ont prévu de se revoir. Il espère que ce solide gaillard l'aidera, le moment venu, à s'occuper de Hrafn W. Karlsson et de son frère jumeau, le gardien du Parlement.

Dans l'arrière-cour de la haute maison de bois située au numéro huit de la rue Ingólfsstræti, la petite chèvre rumine, enveloppée de ce que le monde a de plus beau à offrir : un soir de printemps à Reykjavík.

V

SOIR DE PRINTEMPS À REYKJAVÍK

11

L'homme qui remplit son arrosoir au robinet à côté du portail du cimetière à l'angle de la rue Ljósvallagata et de la place Hólatorg ne se préoccupe pas beaucoup de l'entretien des tombes des défunts. C'est un provincial : il ne connaît aucun de ceux qui reposent dans ce cimetière de Reykjavík. Ce n'est pas que cela changerait grand-chose à la tâche qu'il effectue ici, mais cela lui permettrait de prendre son casse-croûte auprès des tombes de ses ancêtres comme il le faisait à l'époque où il vivait dans les fjords de l'Ouest et où il travaillait au cimetière municipal. Que ce soit à Reykjavík ou dans sa province, c'est seulement pendant la nuit qu'il peut s'acquitter de la tâche qui l'appelle ici entre le printemps et l'automne.

La raison de sa présence en ces lieux n'est pas des plus louables, il serait le premier à le reconnaître.

Mais nécessité fait loi : la vie est chère.

Nous le suivons pendant qu'il descend la colline

et s'engage sur un sentier menant vers la partie la plus ancienne du cimetière. À cet endroit, les tombes sont en fer originellement recouvert de laque noire et le plus souvent entourées d'une grille à hauteur du genou. La lune joue à cache-cache avec les nuages et le vent frais du printemps siffle dans les arbres au-dessus de la tête du gardien. Mais ce cadre des plus dramatiques n'a que peu d'emprise sur lui. Il n'est en rien peureux, d'ailleurs, il est plus clairvoyant que le diable en personne et entretient d'excellentes relations avec la plupart des défunts.

Il se plante à côté de la tombe d'Ólafur Jónasson, bachelier (1831-1868), pose son arrosoir et se met au travail. Il déboutonne son manteau et nous découvrons qu'à l'intérieur se trouvent d'innombrables poches. Une griffe de jardinier dépasse de l'une d'elles telle une main rouge. Quant aux autres, elles débordent de semblables outils, de graines et d'autres semences.

Pendant que l'homme des fjords de l'Ouest s'occupe de jardinage à l'intérieur du cimetière – qu'il connaît comme sa poche, passant d'une tombe à l'autre, semant ici, arrosant là, retournant un peu la terre à tel endroit – les défunts se livrent à d'autres activités.

Car il se trouve que pendant la nuit, le cimetière de Hólavallagarður (je ne saurais dire ce qu'il en est des autres) se transforme en un parc d'agrément pour les trépassés. Certains se baladent ici et là dans leurs linceuls, s'assoient sur les bancs pour discuter de l'éternité pendant que d'autres jouent à la marelle en lançant des cailloux contre le mur d'enceinte. Les matérialistes qui ne s'attendaient pas du tout à la vie après la mort se tiennent à l'écart. Pendant leur réunion de cellule, ils se disputent sur l'éventuelle existence d'une autre vie après celle-là, qu'ils se voient forcés de vivre à l'encontre de tout principe scientifique. Seules quelques rares voix s'élèvent pour se plaindre de n'avoir accès ni au paradis ni à l'enfer, mais telle est la règle en vigueur pour l'œuvre du Créateur depuis mil neuf cent quarante-et-un, date à laquelle l'archange trompettiste Gabriel a scellé la Porte Dorée et la grille de l'enfer en faisant fondre son instrument sur le bûcher du soleil.

Viennent ensuite les morts récents qui se rassemblent au-dessus du cimetière d'où s'offre une vue dégagée sur la ville, que ce soit vers l'est, l'ouest, le sud ou le nord. Évidemment, ils sont nettement plus guillerets que les vieillards assis sur les bancs en contrebas. Ils se taquinent en se passant les uns à travers les autres, font des galipettes et profitent allègrement de cette vie après la mort. Parmi le groupe, on distingue Ásgeir Helgason, le préposé aux douches de la piscine de Sundhöllin, enterré depuis à peine sept heures.

À ce moment-là, il n'avait plus de langue, il lui

manquait quatre doigts, trois orteils et les deux lobes des oreilles, pour n'énumérer que le plus important. Tout cela a maintenant repris sa place et il peut repartir de zéro. Débordant de joie, il survole de-ci, de-là le cimetière à la nage : oh, si seulement son père pouvait le voir en ce moment. Il virevolte en l'air avec des mouvements puissants et gracieux. Cette peur de l'eau qui le tenaillait pendant son existence terrestre et qui empêchait son père de le juger à sa juste valeur, la voilà disparue, évanouie. Brasse, crawl, dos crawlé, nage papillon et planche. Il connaît tout ça.

Au milieu d'une longueur, Ásgeir aperçoit l'homme des fjords de l'Ouest courbé sur une tombe où il plante des pommes de terre. Il effectue un plongeon :

« Bouh ! »

Mais le paysan-fossoyeur n'accorde pas la moindre attention au fantôme du défunt préposé aux douches. Il regarde d'un air calme par-dessus son épaule pour observer l'enveloppe spirituelle d'Ásgeir avant de lui répondre d'un :

« Bouh ! »

Ásgeir sursaute violemment et traverse le grand peuplier qui se tient derrière lui. L'autre affiche un sourire, il se retourne vers la tombe en disant d'un ton moqueur, tête baissée vers la terre :

« Vous êtes tout nouveau ici, n'est-ce pas ? »

Ásgeir se dit que c'est là un homme digne d'intérêt, il tournoie autour de lui :

« Parce que ça se voit ?

— Eh bien, j'ai passé un accord avec vous pour que vous me laissiez tranquille, moyennant quoi, je ne raconte rien de ce qui se passe ici. Ici, il y a des couples qui se forment… »

Il baisse la voix :

« Et il ne s'agit pas seulement de couples homme-femme, si vous voyez où je veux en venir. »

Ásgeir se fait tout ouïe et l'homme des fjords de l'Ouest poursuit :

« Non, ici, on voit des vieux loups de mer endurcis cajoler des pasteurs, des infirmières prendre d'honnêtes mères au foyer sur leurs genoux et je ne sais quoi encore. Je suppose que tout ce petit monde se dit que, puisqu'ils sont morts, ils peuvent bien se permettre ça. Mais ça serait quand même gênant si la chose venait à arriver aux oreilles de leurs proches, comprenez-vous ?

— Pardonnez-moi, je n'avais pas connaissance de cet accord.

— Je vous en prie. »

Il se redresse, asperge la tombe avec son arro-soir puis se dirige vers la suivante. Le préposé aux douches le suit : cet homme possède de bonnes connaissances sur la condition des défunts et il vaut probablement mieux apprendre le protocole auprès de lui que d'aller se ridiculiser devant les autres. La vie après la mort n'a rien à voir avec ce qu'Ásgeir s'était imaginé : il avait plus ou moins compté se retrouver dans une espèce d'enfer.

✳✳

« Pas si vite, mon bon monsieur, il avait envie d'atterrir en enfer ?

– C'est qu'Ásgeir avait des besoins particuliers... »

✳✳

Le préposé aux douches se place derrière l'homme pendant qu'il cherche des questions à lui poser. Il est toutefois malaisé de savoir quoi dire quand on débarque tout juste en un endroit où les lois naturelles n'ont plus cours :

« Vous produisez beaucoup ?

– Eh bien, si on sait comment s'y prendre, alors le résultat est plutôt pas mal.

– Et vous cultivez surtout des pommes de terre ?

– Je plante toutes sortes de tubercules. Ici : des navets, des rutabagas, des carottes, des radis, mais aussi des choux-fleurs, des choux blancs, de l'herbe aux cuillers, du persil et des fines herbes. Je m'essaie aussi à la culture des tomates, du basilic et d'autres plantes aromatiques à l'intérieur du

174

monument funéraire qu'on voit là-bas. Il y a une demande phénoménale d'aromates frais dans les restaurants. Je ne m'en plains pas. Regardez, par exemple, là vous avez des fraises. »

Il racle la terre autour des plants tridactyles qui poussent sur la tombe de Jóhann Skúlason, menuisier (1867-1943).

« Elles ne sont pas à vendre ; ça, c'est pour mes gamins. À part ça, je fais un peu de tout sauf de la rhubarbe. Les gens de Reykjavík ne veulent pas la voir envahir leurs tombes. Chez moi, à Ísafjörður, ça ne posait aucun problème. Vous seriez peut-être partant pour essayer ?

– Disons que je n'ai rien contre la rhubarbe. »

Ásgeir préfère se mettre dans les petits papiers de cet homme afin de pouvoir lui tirer les vers du nez. Le jardinier rayonne :

« Où êtes-vous ?

– Où suis-je ?

– Où est votre tombe ?

– Là-bas, du côté de la rue Suðurgata…

– Quelle rue, dites-vous ?

– Enfin, Suðurgata…

– Vous êtes vraiment un sacré blanc-bec. Ici, dans le cimetière, les tombes portent des numéros et donnent sur des rues, conformément à la coutume française. Ce système date de quelques années, il a été instauré par un quelconque prétentieux. »

175

L'homme des fjords de l'Ouest fait signe à Ásgeir de s'approcher de lui :

« Il règne ici un incroyable snobisme. Si vous êtes là-bas, alors vous êtes dans les beaux quartiers. Et là, pas question que j'aille planter un pied de rhubarbe. Ça ferait un sacré raffut. Mais au fait, dites-moi, vous vous appelez bien Ásgeir, n'est-ce pas ?

– Oui, comment le savez-vous ?

– On lit quand même les journaux.

– Ah, je vois. »

L'homme des fjords de l'Ouest retire l'un de ses gants de jardinier pour gratter sa barbiche rousse à la valet de pique :

« Est-ce bien vrai, ce que j'ai entendu, euh… »

Il replace son gant sur sa main :

« Enfin, ça ne me regarde pas, je ne devrais pas aller fourrer mon nez là-dedans…

– Demandez-moi…

– Non, ça ne me plaît pas…

– Mais si, ça ne me gêne pas, je vous assure… »

L'homme des fjords de l'Ouest sifflote tout bas puis demande précipitamment :

« Est-il vrai que votre collection de timbres a disparu ? »

Le Revenant de la rue Grettisgata allait avoir quatorze ans à l'époque où on l'avait découvert plus mort que vif, coincé sous un tas de planches sur Íshúsplanið, le parking de la conserverie de poisson. Au début, l'accident était une véritable énigme pour tout le monde. Les blessures que ce solide garçon s'était infligées semblaient inconcevables : il avait les intestins sortis, le pantalon baissé et le visage réduit en une bouillie sanglante. Au terme de son enquête approfondie, la police était parvenue à la conclusion que sa mort était due à un usage abusif du rock acrobatique. Le Revenant de la rue Grettisgata n'était naturellement nul autre que « Kiddi Rock », Kristján Hermannsson, rejeton d'une pute à Amerloques, résidant au sentier Lokastígur.

La rumeur populaire affirme que ce Kiddi a assisté à chacune des représentations de *Rock Around the Clock* le mois où le film est passé au cinéma Stjörnubíó. Il ne s'exprimait qu'en en reprenant les dialogues, roulait tellement des hanches qu'il parvenait à peine à marcher, le tout assorti de hey-hey et de claquements de doigts. Pour la première fois de son existence, il appréciait que le sang qui coulait dans ses veines recèle les amours interdites d'une fille de Mohicans et d'un garçon vacher de dix-neuf ans venu de Stavanger.

Sa dégaine de frimeur, ses cheveux noir de jais et son nez de boxeur faisaient de lui Kiddi Rock aux yeux des filles, même si les garçons continuaient à le surnommer « Stjáni la Fille » comme avant que le rock ne vienne le métamorphoser. Cependant ce surnom de « Fille » s'était retourné contre ceux qui avaient voulu se moquer de lui : les jeunes des autres quartiers pensaient qu'il renvoyait à la séduction qu'il exerçait sur la gent féminine et quand ils l'avaient aperçu avec la plus jolie minette du quartier de Norðurmýri puis sa sœur, Donna Halldórs, au cours de la même semaine, les garçons en eurent assez.

Kristján Hermannsson mit longtemps à mourir. Bien qu'il ait appartenu à la seconde génération établie en ville et que, par conséquent, il n'ait pas bénéficié de la solide constitution de ses aïeux de Tröllaskagi, la péninsule des Géants. (Son grand-père était l'enfant le plus grand né en Islande au cours de l'année mil huit cent soixante-quatorze, sa mère la plus grande fille née à Reykjavík en mil neuf cent vingt-huit bien que l'ensemble de sa famille la considérât comme particulièrement chétive.) Toujours est-il qu'il avait la peau dure, comme tous ceux de sa lignée.

Taille et poids des nouveau-nés de la péninsule des Géants de 1900 à 1908 :

Nom	Taille	Poids
Arnaldur	96 cm	14,1 kg
Áshildur	98 cm	14,7 kg
Birna	97 cm	13,4 kg
Björn Ólafur	93 cm	12,8 kg
Brynja	100 cm	15,2 kg
Eiríkur	92 cm	13,3 kg
Einarína	100,5 cm	11,5 kg
Finnur	97 cm	12,5 kg
Grímur	95 cm	13,0 kg
Guðrún	97,5 cm	12,2 kg
Helgi	89 cm	11,3 kg
Hildur María	92 cm	14,0 kg
Jón	100 cm	15,7 kg
Jón	103 cm	12,3 kg
Kristján	106 cm	13,0 kg
Kristrún	100,5 cm	15,2 kg
Leifur	95 cm	13,8 kg
Margrét	96,5 cm	13,4 kg
Ragnar	104,5 cm	14,0 kg
Rannveig	99,5 cm	12,9 kg
Sigurlinni	101,5 cm	15,5 kg
Þór	96 cm	15,0 kg
Þóra	89 cm	13,5 kg
Moyenne :	*97,3 cm*	*13,6 kg*

En résumé, ce fut une interminable agonie. Kiddi Rock ne reprit conscience qu'aux ultimes moments de son existence terrestre. Le jour de sa mort, une jeune interne en médecine était de garde. Elle ne croyait en rien qu'il s'était causé lui-même l'ensemble de ses blessures. Il était certes possible que son incorrigible passion pour le rock l'ait amené à s'infliger quelques ecchymoses en dérapant sur l'une des planches lors d'un mouvement de danse, mais elle demeurait persuadée qu'il ne s'était tout de même pas sodomisé tout seul.

Elle remarqua que le jeune homme allait enfin renoncer à respirer. Elle s'assit à son chevet et lui prit la main pour l'aider à passer de l'autre côté. Au milieu d'une inspiration, il ouvrit les yeux et la regarda. Elle se pencha sur lui en disant :

« Vous voulez nous dire quelque chose, mon petit Kristján ? »

Alors, Kiddi Rock lui répondit :

« *See you later, alligator…* »

Il tint parole. Ainsi naquit le Revenant de Grettisgata. Il se tient vers le bas de la rue dont il porte le nom. La plupart du temps, on le voit dans le passage couvert qui part de Grettisgata et débouche au niveau du cinéma Stjörnubíó sur la rue Laugavegur. Là, il renvoie sa mèche en arrière d'un mouvement de la tête et lance son : Hey, hey, hey ! avec une lueur incendiaire dans le regard. Ou bien, il s'installe dans la queue devant le cinéma avant de disparaître au moment où il arrive devant la billet-terie. À part ça, il est inoffensif.

Et pourtant, au fil du temps, il s'en est violem-ment pris à plusieurs de ses anciens camarades d'école ainsi qu'à leurs fils, apparemment dans l'unique but de se venger du fait qu'ils le surnom-maient autrefois Stjáni la Fille.

12

Ásgeir Helgason n'est pas rassuré après sa discussion avec le paysan du cimetière : les gens semblent plus inquiets de retrouver sa collection de
timbres que de mettre la main sur l'assassin. Où va
donc cette société ?

« Salut, cousin ! »

Le Revenant de Grettisgata balance sa main en
direction du préposé aux douches tout en conti-
nuant à aller et venir devant la grille du cimetière
au coin de la rue Ljósvallagata et du boulevard de
Hringbraut. Ásgeir plane au-dessus de lui :

« Toi ici ?

— Eh bien, je ne vois pas d'autre endroit où aller. »

Ásgeir ne s'était pas imaginé que son cousin
Kristján l'attendait dans le cimetière. Ils n'avaient
pas été très proches du temps de leur vivant. Helgi
Steingrímsson, leur grand-père, avait refusé de voir
sa fille ou de lui adresser la parole depuis qu'elle
était tombée sur cet Amerloque et que Kiddi lui
était tombé dessus :

« Ta maman se porte comme un charme, mon petit Kiddi. Elle est à Philadelphie.

– Parfait, elle a toujours voulu aller à Philly, n'est-ce pas ?

– Non, non, je voulais parler de l'église pentecôtiste. Elle a rencontré un homme très bien, un médium qui porte des boots à fermetures éclair. »

Le Revenant de Grettisgata ricane :

« À fermetures éclair ? Rien que ça ? »

Ásgeir tourne sa langue dans sa bouche. C'est vrai, pourquoi diable était-il allé raconter ça ? Cela lui avait échappé sans réfléchir. Il ne savait absolument pas ce que cette espèce de diseur de messe portait aux pieds.

Son cousin fronce les sourcils :

« Te reste-t-il des affaires à régler de l'autre côté ? Quelque chose qui vient te torturer l'esprit ? Peut-être quelqu'un ? »

Kiddi crache par-dessus le mur du cimetière et le crachat atterrit sur l'épaule d'un bonhomme qui passe par là. L'homme s'arrête, lève les yeux vers le ciel à la recherche du coupable, mais comme il ne voit pas le moindre oiseau, il les maudit tous avant de passer son chemin. Le regard d'Ásgeir devient vide : il y a quelque chose qu'il doit vérifier à propos de ces chaussures. Il voit clairement deux grands pieds devant lui et sent une odeur de tabac à priser, non, une odeur de café recuit. Il attrape Kiddi par le bras :

« Y a-t-il un moyen quelconque de sortir d'ici ? »

Kiddi roule des yeux, claque des doigts puis remonte son col de chemise : oui, ce diablotin adolescent de Kristján Hermannsson a trouvé un moyen de se libérer du lien astral, ce fil spirituel qui maintient les trépassés à l'intérieur du cimetière. La méthode est très simple : à une heure précise de la soirée, il peut arriver que quelqu'un ouvre l'un des rideaux de cuisine dans l'immeuble face à la maison de retraite Grund, laissant apparaître le visage d'un homme à la chevelure tout ébouriffée.

« Ce gars-là a une telle trouille du noir qu'il nous aspire littéralement jusqu'à lui. »

Kiddi éclate de rire :

« Ce type est à fond là-dedans. Je lui rends parfois une petite visite avant de descendre en ville. Histoire de frapper quelques coups à l'intérieur des placards, de faire tinter la vaisselle, d'agiter un chiffon ou ce genre de truc. Il reste assis, tétanisé, sur le banc de sa cuisine en attendant que le fantôme se calme. Il adore ça. La dernière fois que je suis passé chez lui, il a attrapé un bloc-notes pour y écrire le mot « Mar-lon » dès que je suis parti. Je me demande d'ailleurs si je n'étais pas tout bonnement en train de penser à Brando. Enfin, il ne devrait pas tarder à se montrer. »

Les deux cousins patientent.

« Dis-moi, cousin, qu'est-ce que c'est que cette histoire avec grand-père ?

– Tu veux dire ton grand-père ? »

À ce moment-là, le rideau de la cuisine s'agite.

⁑

Ásgeir plane au-dessus de la ville. Tout cela est franchement sublime. Il voit sa maison, il voit l'étang de Tjörnin, il voit Hljómskálagarður, le parc du Kiosque à musique. Il voit Hallargarður, le parc de Höll. Il voit l'église de Fríkirkja. Il voit le Magasin philatélique de Reykjavík.

Ásgeir se sépare de son cousin au-dessus du parc du Kiosque à musique. Le Revenant de la rue Grettisgata vole vers l'est en longeant Snorrabraut pour aller accueillir les cinéphiles venus voir *King Creole* à la séance de neuf heures. Ásgeir se maintient à une altitude d'environ vingt-trois mètres et remonte à toute vitesse la rue Lækjargata avant d'effectuer un virage à angle droit pour gravir la colline du quartier de Þingholt. Il ralentit, se pose doucement sur le toit de la maison en suplomb du Magasin philatélique. De là, il a vue sur la fenêtre du bureau de Hrafn W. Karlsson. Ensuite, il passe à travers la vitre gorgée de la fraîcheur du soir. Dans le coin à droite de la pièce, si on se place à la porte, il y a une étagère montée sur des pieds hauts de six centimètres. En dessous, on aperçoit le classeur en cuir de taureau qui renferme la collection de timbres appartenant à Ásgeir lui-même. On serait tenté de croire que l'objet va attirer jusqu'à lui le défunt collectionneur. Mais non, ce dernier n'y prête aucune attention et s'avance, comme en chair et en os, vers la table de travail du vendeur.

Posé sur divers classeurs de timbres, un journal est ouvert à une page où l'on peut lire que ce soir, Óli Klingenberg donne justement un concert au théâtre d'Iðnó.

À côté de cette information, quelqu'un a griffonné : « Chercher bill. av. 18 h 45. »

Óli Klingenberg se tient à l'avant de la scène. Il appuie sa main droite ornée de bagues, d'une pâleur laiteuse, bien en chair, mais petite sur le piano à queue, orienté de manière à ce qu'on aperçoive à peine le pianiste, un quelconque Norvégien.

Et Óli s'éclaircit la voix presque en silence.

Il ne s'est que peu produit en public depuis son retour au pays vers la fin de la guerre. En effet, il a consacré le plus clair de son temps à des causes spirituelles car, au bout d'environ trois ans passés en Islande sans que quiconque vienne même lui demander s'il n'allait pas enfin se décider à donner un concert, il s'était brusquement souvenu que, dans son jeune âge, il avait été ce qu'on avait alors coutume d'appeler « réceptif ». Il avait cohabité avec quatre jeunes garçons elfes à l'époque où il vivait avec ses parents à Smjör-Hali ainsi qu'avec un Indien aux cheveux bleus du nom de Sansía qui s'était installé dans le pied de leur canapé dans la rue Lindargata. Voilà qui ne représentait pas grand-chose quand on pense à certains, mais cela avait suffi à assurer rapidement sa renommée au sein de la clique spiritiste de la ville. Il s'avéra que ce fut amplement suffisant lorsque Mme Benediktsson, médium, obtint qu'il vienne la remplacer un soir au sein de l'association des Unisomnistes.

« Je vous en prie, de toute manière, ils ne s'intéressent pas au commun des mortels, ils ont un faible pour les gens célèbres : ces derniers temps, l'auteur des livres de Tarzan est monté en flèche dans leur estime. En outre, il ne s'agit jamais que d'une seule réunion… » avait-elle déclaré avant de partir dire adieu à son amant en partance pour les États-Unis où il allait étudier la physique grâce à une bourse d'études en saut de haies. (Elle n'avait finalement pas été si clairvoyante que ça, puisqu'on la retrouva avec son amant sur la banquette arrière de la Lincoln de Hannes Benediktsson au fond du bassin Est du port de Reykjavík.) Toujours est-il que depuis lors, Óli Klingenberg est l'un des médiums les plus actifs de la ville.

Ce soir, il donne un concert à Iðnó afin de financer la rénovation du bâtiment des Unisomnistes. Il est en train de s'éclaircir la voix presque en silence au moment où Ásgeir passe sous la porte de la salle. Il se faufile entre les jambes des spectateurs, tend le cou à droite à gauche à la recherche des pieds de Hrafn W. Karlsson. Et enfin, enfin, il les trouve. Oui, les voilà. Ce fort méchant homme est assis sur la rangée de devant en compagnie de son épouse et il porte des boots à fermeture éclair. Oui, il a aux pieds des chaussures fourrées avec une fermeture éclair !

En résumé, Óli a bientôt fini de s'éclaircir la voix. Il s'apprête à commencer à chanter quand, baissant les yeux vers la salle, il aperçoit la tête ébouriffée du préposé aux douches de Sundhöllin qui pointe entre les jambes du marchand de timbres.

Le ténor s'étrangle et éructe comme un loup de mer endurci :

« J'm'appelle Ásgeir Helgason. »

Les spectateurs éclatent de rire puis se taisent brusquement :

« Hrafn W. m'a tué, z'avez qu'à r'garder sous l'placard ! »

VI

(26 AOÛT 1962)

13

« Les scientifiques nous surnomment la "Lumière du Nord". C'est en effet ce que nous sommes, ni plus ni moins. Grâce à la lecture des Écritures, avec une règle en main et armé d'une connaissance minimale des mathématiques, n'importe qui pourra prouver que tous les chemins empruntés par la lumière mènent à l'Islande, qu'on les place de façon abstraite en partant de la base de la pyramide de Khéops ou bien qu'on les dessine du doigt sur une carte de géographie, marchant ainsi sur les traces des Atlantes. Ces théories se répandent à grande vitesse parmi les nations civilisées. Si vous rencontrez un Anglais, vous pouvez par exemple être pratiquement certain qu'il s'est familiarisé avec les théories de Rutherford, un vieil Allemand les connaîtra probablement de manière intuitive alors qu'une personne née au Bénin ne sait rien de l'Islande. Et au fait, le Bénin, où est-ce ? Qui est-ce qui a dosé la cafetière ?

» C'est vrai que ce café est du jus de chaussette.

Enfin, bon, on ne peut pas dire que ç'ait été une partie de plaisir pour nous. Tout comme l'histoire des Juifs, lesquels sont l'unique peuple à avoir été élu par Dieu pour éclairer la route au reste du monde, celle des Islandais se résume à une longue série de catastrophes, d'exils et d'humiliations. En revanche, nul ne fut jamais expulsé du pays lors de notre exode : nous avons, Dieu merci, toujours vécu ici. Cependant on a fait de nous des étrangers en notre pays. Peut-être sommes-nous les seuls véritables Juifs de la Terre. Tiens, par exemple, qu'est-il advenu du peuple de Benjamin ?

» Le peuple d'Isaac, Is-akur, terre de Glace, c'est-à-dire Islande. Passe-moi le sucre !

» Tu veux bien me passer le sucre, s'il te plaît ? Sur le papier, nous étions sujets danois, mais dans nos cœurs, nous étions les enfants d'Isafold, la terre de Glace. Les Danois n'ont jamais rien compris à qui nous sommes. Ils donnent à la fondation de notre République le surnom de victoire des geignards. Ils racontent qu'on a obtenu l'indépendance à force de jérémiades. Mais je te le demande, même si c'est vrai, quel mal y a-t-il à ça ? Se plaignent-ils qu'on ne se soit pas battus contre eux ? Eh bien non, nous sommes un peuple pacifique, des hommes de mots, rusés comme des renards. Regarde un peu comment nous nous y prenons avec cette histoire de manuscrits du Moyen Âge. Pourquoi crois-tu que même le peuple danois soutient notre cause ? Envers et contre la volonté de son gouvernement. Est-ce peut-être parce nous les rendons fous avec nos pleurnicheries ? Dis-moi, mon garçon, tu n'as quand même pas l'intention de finir le gâteau ? Il faudrait qu'il en reste pour le café de demain.

» Enfin bon, maintenant nous leur laissons l'avantage en sport. Après la guerre, nous les écrasions dans toutes les disciplines, puis il est apparu que le peuple islandais souhaitait que les manuscrits rentrent au pays. Que fallait-il faire ? Les Danois n'étaient pas de la meilleure humeur : nous avions pris notre indépendance, nous les ratatinions constamment à l'athlétisme et au football, il n'y avait pas moyen qu'ils nous rendent tous ces bouquins. Le mouvement sportif est venu à notre rescousse, comprenant qu'il ne s'agissait là que de mesures provisoires. Les champions de notre nation ont pris les choses en main. En échange de fortes compensations pour les affaires sportives. Nous perdons encore et encore. Les autorités danoises n'y comprennent rien. Je tiens ces informations de l'un des dirigeants de Drengur, l'association de la jeunesse qui se trouve à Kjósin, ils viennent d'avoir une réunion. Les autres nations pourraient s'inspirer de leur exemple.

» Allons, les gars. *Arbeit macht frei.* »

L'orateur tape dans ses mains, on se lève des tables de la cafétéria de la poterie Miðgarður. Leó termine sa tasse et retourne à l'atelier. Il travaille ici depuis sept ans et s'occupe du département vaisselle, la production de l'entreprise étant divisée en deux parties : vaisselle et pièces d'artisanat. L'homme qui veille sur le département pièces d'artisanat est celui qui s'est exprimé pendant la pause-café, Þorbjörn Arnarson : ancien lutteur, éleveur de chevaux, arpenteur de montagnes, poète et joueur d'échecs. À quatre-vingt-dix ans, il parcourait encore les montagnes, chevauchait juments autant que femmes, rimait et jouait aux échecs, mais ne pratiquait plus la lutte que par dérision lors des fêtes annuelles de l'association de lutte islandaise. En ces occasions, les gens trouvaient toujours très drôle de le voir mettre à terre les princes de la lutte et de leur pincer les bijoux de famille. Parfois, il pinçait aussi ceux des apprentis de la poterie Miðgarður. Quand il était de bonne humeur, il arrivait derrière eux par surprise et, pendant qu'ils étaient penchés à façonner la glaise, il les attrapait par l'entrejambe en leur demandant :

« Alors, ça te fait quel effet ? »

Il ne lâchait prise qu'une fois qu'ils lui répondaient. C'était là des grivoiseries qui détendaient l'atmosphère de l'atelier.

Leó appréciait grandement Þorbjörn : cet artiste était parvenu à se créer un style personnel en mêlant les Arts déco, le réalisme national et ses conceptions particulières sur l'apparence des Ases, les anciens dieux païens et autres fiers-à-bras. Sa création artistique consistait principalement en des statuettes représentant ce genre de personnages, lesquelles étaient particulièrement prisées par toute la nation. On pouvait jurer que chaque foyer, chaque entreprise, chaque institution du pays s'enorgueillissait d'une statuette de Þorbjörn de Miðgarður.

Njáll ornait les tables de travail des gens de culture, Þór brandissait son marteau Mjölnir tout prêt à s'abattre sur le bureau des directeurs entreprenants, les meilleurs élèves en islandais se voyaient récompensés d'un Egill Skallagrímsson, la déesse Iðunn et ses pommes dorées ornaient les salles à manger, Freyja et Gunnar de Hlíðarendi étaient des cadeaux de communion très en vogue ; à la campagne, on voyait souvent Bergþóra aux côtés de Grettir, les éleveurs de chevaux possédaient un Hrafnkell Goði de Freyr, aux enfants intelligents, on offrait les nains Mímir et Fjölnir, il n'y avait pas une seule maison de pêcheur qui n'eût son Ægir, Baldur « le blanc » était très apprécié des hommes d'Église et ainsi de suite. La plus intéressante de toutes ses créations était pourtant celle montrant Óðinn chevauchant Sleipnir, son cheval à huit pattes avec ses deux corbeaux Huginn et Muninn perchés sur son épaule. Seuls peu de gens en possédaient un exemplaire.

Peut-être la raison de cette popularité tenait-elle au fait qu'en dépit de leur petite taille – elles ne dépassent pas celle des bibelots qu'on trouve habituellement sur les étagères – ces statuettes présentaient de si belles proportions que, dans le cœur de l'Islandais, elles étaient aussi monumentales que les Aiguilles des Hraundrangar.

« Et là, c'est un sacré morceau ! »

***

« Aujourd'hui, ce sont des pièces de collection. Loki était à vendre l'autre jour aux Puces de Kolaport et il coûtait je ne sais combien.

— Il y a une chose dont tu dois te méfier, si tu as l'intention d'acheter des œuvres de Þorbjörn : il circule des imitations.

— Comment est-ce que je peux les éviter ?

— Tu dois vérifier qu'elles portent un tampon sous le socle : il s'agit d'un serpent qui s'entoure autour d'un M et qui se mord la queue.

— Évidemment, tu connais tout ça par cœur…

— Les seuls modèles qui ne se vendent pas sont ceux de Hallgerður* Longues-Braies et le dieu Freyr*. Hallgerður déplaisait tout bonnement ; quant à la statuette de Freyr, les gens la trouvaient trop licencieuse. Si tu tombes sur elles, tu es vraiment vernie.

— Pas possible, je ne les ai jamais vues…

— Je possède quelques exemplaires de chacune

d'elles, mon père les a soustraites. Je les conserve dans un coffre à la banque.

– Elles doivent valoir un bon prix.

– Elles ne sont pas à vendre.

– Dommage que les gens en aient jeté autant.

– Oui, mais aujourd'hui le national est devenu international et vice versa. Je n'arrête pas de lire ça dans Mogginn. »

Les bâtiments de la poterie étaient situés sur une parcelle en retrait au bas de la ruc Laugavegur. Avant mil neuf cent cinquante et un, l'endroit avait abrité une étable jusqu'au moment où Þorbjörn avait acquis les lieux pour déménager Miðgarður au centre-ville. Leó faisait partie de l'équipe d'ouvriers qui avaient démoli l'étable et nettoyé les lieux. C'était justement ce à quoi il était occupé quand Þorbjörn était arrivé pour vérifier l'avancée des travaux, accompagné de son bras droit, son frère Guðjón.

Et l'un de ces hasards qui peuplent fort à propos les histoires avait voulu que Guðjón ait suivi un apprentissage à la poterie que les SS dirigeaient conjointement au camp de prisonniers de Dachau, qui ne fut que l'une des impasses où Leó s'était fourvoyé sur le chemin qui l'avait conduit de Prague à Reykjavík.

Guðjón reconnut immédiatement son ancien collègue bien que ce dernier se trouvât au milieu de l'étable avec sa casquette sur la tête et une pelle pleine de bouse de vache à la main. Il entama la discussion avec Leó et, une fois qu'ils eurent échangé quelques banalités, Guðjón commença à lui tirer les vers du nez pour savoir s'il avait des nouvelles de tel ou tel de leurs anciens collègues à la poterie de Dachau exactement comme s'ils étaient allés ensemble à la communale. Leó fut désolé d'avoir à lui dire qu'il craignait qu'Untel et Untel soient probablement morts, les uns comme les autres.

Voilà qui cloua le bec de Guðjón.

Mais comme il avait le caractère jovial de son frère, il chassa de son esprit ces navrantes nouvelles et présenta Leó à Þorbjörn en lui disant que s'il y avait quelqu'un en Islande qui s'y entendait en émaillage, alors il s'agissait de ce… enfin de cet étranger.

« C'est vrai ? demanda Þorbjörn.

– Eh bien, disons… répondit Leó, qui parlait maintenant comme un véritable Islandais.

– Bien sûr que c'est vrai ! » confirma Guðjón en regardant son frère droit dans les yeux, « le Service à l'Aigle ! »

Þorbjörn haussa les sourcils :

« Le Service à l'Aigle… »

Quant à Leó, il marmonna tête baissée :

« Le Service à l'Aigle… »

À ces mots, il fut engagé.

Il est peu courant qu'un étranger monte en grade au sein d'une entreprise islandaise. Pourtant, l'exceptionnelle maîtrise que Leó possédait de la glaise en général et de l'émaillage de la faïence en particulier fit qu'au terme de six mois à peine, il avait remplacé Guðjón au poste de contremaître, ce dernier s'étant tourné vers l'administratif.

L'une des activités de Leó à Miðgarður consistait à superviser la production de diverses sortes de plaques commémoratives. Il s'approcha de sa table de travail pour examiner la maquette d'une plaque qui devait prochainement être fabriquée en même temps que serait édité un timbre de cinq couronnes cinquante à l'occasion du centenaire du Musée national. Le timbre en question représentait un détail de la porte de l'église de Valþjófsstaður : celui où le chevalier met le dragon en pièces, libérant le lion de ses serres.

De l'intérieur des ateliers, on entendit un cri déchirant puis une grosse voix masculine demander :

« Alors, ça te fait quel effet ? »

C'était dimanche et, puisque les Anciens ne connaissaient pas de jour de repos, Þorbjörn non plus. Leó se concentrait sur la plaque du timbre. Il fallait qu'il propose une teinte qui conviendrait pour le fond, une couleur qui laisserait clairement apparaître le timbre. Le blanc aurait été le meilleur choix d'un point de vue économique, mais il ne fonctionnait pas car le timbre se serait confondu avec le fond, à moins que ?

Il appela Kjartan, un excellent dessinateur dont la tâche consistait à transférer les esquisses de dragons que lui remettait Þorbjörn et qui ornaient la majeure partie de la production de Miðgarður.

« Tu crois que tu pourrais me dessiner une version de ce truc-là en traçant une ligne dorée sur le pourtour du timbre ? Je me dis que, dans ce cas, il se détacherait nettement du fond bien que les deux soient blancs.

– Ça aura de la classe… »

Kjartan emporta la plaque jusqu'à sa table à dessin. Leó alla au vestiaire où se trouvait le téléphone du personnel. Il y mit une pièce de dix aurar et tourna le cadran. Cela sonna pendant un long moment. Il était sur le point de raccrocher quand répondit enfin un homme qui semblait éprouver la plus grande difficulté à approcher le combiné de son visage.

« Bien le bonjour…

– Hein, monsieur Löwe, Löwe ?

– Oui.

– Ici Pouchkine, oui, ouii, ouiii…

– Alors vous voilà revenu de Krýsuvík…

– Vous avez déjà essayé de m'appeler ?

– Exact…

– Comment savez-vous que j'étais à Krýsuvík ?

– C'est vous qui me l'avez dit.

– Hein ? Ah non, ce n'était qu'une plaisanterie…

– Il faudrait que je vous voie…

– Oh ! là, là, ça ne tombe pas très bien.

– Quand aurez-vous un moment ?

– Euh, oui, oui, ça va pas tarder, ça va pas tarder…

– Moi, je quitte à cinq heures.

– Pouchkine ne parlait pas à Leó, Pouchkine est avec un informateur.

– Avez-vous pu vérifier ce que je vous ai demandé ?

– Hi, hi, ouii, ouiiii…

– Je serai chez moi vers cinq heures et demie…

– Salut, camarade, ahh, aahhh… »

Leó raccrocha : Pouchkine était manifestement au lit en galante compagnie. Il remportait un impressionnant succès auprès de la gent féminine en dépit de son appendice caudal. Ou peut-être était-ce précisément grâce à lui ?

Assis sur un tabouret dans l'arrière-cour, Leó trayait sa chèvre. À intervalles réguliers, il pressait fermement les pis : les giclées de lait chaud tombaient dans le seau en un crissement rythmé. Nul autre bruit au monde n'existait. Il s'accorda une pause pour remonter la fermeture de son blouson. Le vent forcissait, quelques gouttes de pluie se dessinaient sur le trottoir qui longeait la maison. Pression, crissement, pression, crissement...

« Monsieur Löwe ? »

Il leva les yeux et vit apparaître au coin un homme de petite taille et très chic, vêtu d'un smoking blanc, portant un nœud papillon et des lunettes de soleil aussi sombres que sa chevelure impeccablement coiffée. C'était Pouchkine.

« Dites donc, vous êtes rudement beau !

– Ah, c'est qu'il y avait un cocktail à l'ambassade. »

Pouchkine s'alluma une Chesterfield et rejeta la fumée d'un air pensif :

« Du hareng, du hareng et encore du hareng... »

Leó remarqua une ombre qui passait derrière la fenêtre du troisième étage :

« Dites-moi, allez donc à l'intérieur, j'en ai encore pour un petit moment, Anthony est arrivé, il y a du café chaud.

– *Spasiba !* »

Pouchkine disparut au coin.

La chèvre poussa un bêlement de colère : Leó lui avait par mégarde serré le pis trop fort au moment où le Russe lui avait asséné ce cavalier « *spasiba* ».

Il avait acquis de très belles manières et de beaux vêtements depuis la dernière fois qu'il l'avait vu.

D'ailleurs, le modèle qu'il s'était choisi, du Alexander Alexeïev, n'était pas des plus mauvais qui soient. C'était cependant à Paris, où il avait travaillé après la guerre, qu'il avait appris à s'habiller et il parvenait même souvent à deviner avant Sartre, le philosophe existentialiste, la longueur qu'auraient les imperméables dans les collections d'automne. Cet automne-là, les hebdomadaires regorgeaient d'articles dithyrambiques sur un certain Dr No qui relatait les aventures de l'agent 007 – héritier de John Dee, grand magicien et espion de Sa Majesté la reine Élisabeth Ire – lui aussi, homme de goût.

Cela mettait un peu de sel dans l'existence de gens comme Pouchkine. Le statut d'espion soviétique en Islande manquait d'éclat. Il ne s'y passait fichtrement rien. Les membres de la gauche islandaise n'avaient pas grand-chose à raconter, du reste, on ne leur permettait nulle part d'accéder aux renseignements de quelque importance. Ils se plaignaient surtout les uns des autres à cause de tel ou tel problème de comptabilité concernant l'importation des stylos-billes, des lames de rasoirs électriques, des clefs en tube et de toutes les babioles qu'ils avaient le droit de faire venir de Bulgarie.

Le principal informateur de Pouchkine à l'aéroport militaire de la côte sud était un attardé qui effectuait de petites courses pour le compte du cuistot de la cantine des simples soldats. Il dégotait là-bas de menus renseignements : Pouchkine se disait que c'était toujours mieux que rien. Cela se résumait à des feuilles volantes annonçant des divertissements à la base militaire américaine : des bals, des soirées loto, des barbecues et ce genre de chose. Pouchkine le rétribuait sous forme de décorations et autres fanions, puisque l'imbécile ne buvait pas.

Cette méthode lui permit de rassembler suffisamment d'informations sur les déplacements des troupes présentes à l'aéroport de Keflavík pour obtenir une promotion par ses supérieurs de Moscou.

L'opération Bella

« Dans les pays de l'Ouest, la femme ne jouit pas du même respect que dans les nations qui adoptent une conception communiste des deux sexes biologiques de l'*Homo sapiens*. Comme vous ne manquez par de le savoir à la suite de vos séjours dans des pays placés sous le joug écrasant du capitalisme mondial, les femmes occidentales sont principalement dévolues à la maternité ainsi qu'au confort des hommes. Jamais vous ne verriez une Hollandaise se servir d'un chalumeau dans un chantier naval, ni une Française poser des dalles sur les trottoirs et jamais les señoritas d'Espagne ne s'abaisseraient au transport du charbon, ça non ! C'est d'ailleurs à cette aune que se mesure le respect – presque nul – dont elles jouissent. Eh oui, même si une Bruxelloise est battue comme plâtre par son époux, elle ne peut s'en séparer. Là-bas, les choses ne sont pas aussi faciles que dans l'Union soviétique animée d'un souci d'égalité où nous pouvons nous marier et divorcer en l'espace de cinq minutes en cas de nécessité. En outre, elles ne jouissent pas du droit humain consistant à pouvoir choisir leur conjoint conformément à leur volonté. Non, elles s'accommodent de l'oppression de leurs époux capitalistes. Toutes ces choses alliées à votre connaissance des théories communistes et aux merveilleuses qualités acquises lors de l'éducation d'inspiration collectiviste dont vous avez bénéficié vous aideront grandement dans votre tâche : ce sera là votre contribution à la révolution mondiale au cours des années à venir. »

Pouchkine quitta la cuisine de l'ambassade soviétique de la rue Garðastræti pour emménager dans un deux pièces de célibataire du quartier des Hlíðar. Désormais, il séduirait les femmes seules de Reykjavík avec la même ardeur que celle qu'il avait mise à cuisiner des « tournedos de blaireau sur lit de chou rouge » pour M. l'ambassadeur.

C'est ainsi qu'il devint l'amant de standardistes travaillant au sein de diverses entreprises ou institutions publiques. Il avait été formé pour les repérer et les harponner. Bon nombre d'entre elles étaient des campagnardes nouvelles venues en ville. Invariablement mal payées, elles occupaient des appartements en sous-sol ou louaient des chambres chez des inconnus : autrement dit, elles étaient des proies faciles pour ce Russe des plus séduisants, rendu charmant par ses manières un peu gauches et avec sa drôle de façon de s'exprimer. Il n'y avait pas pénurie de ce genre de femmes.

Mais comment les amenait-il à collaborer ?

Eh bien, peu importait où elles se situaient politiquement, elles se ralliaient au mouvement pacifiste mondial dès qu'il posait sur la table des preuves telles que des photos des abris atomiques que s'étaient fait construire les dirigeants islandais, chose qui prouvait qu'ils pensaient en premier lieu à sauver leur peau : ils se fichaient éperdument que la populace brûle et rôtisse dans le feu nucléaire. Ces clichés montraient d'innocents coursiers de la Coopérative de Reykjavík et des environs qui se passaient à la chaîne des palettes entières de poisson séché, d'eau, de mouton fumé, de petits pois, de sagas islandaises, de saucisse au sang, de boudin noir, de graisse de mouton, de revues annuelles de l'Association touristique d'Islande reliées en cuir et dorées sur tranche, de têtes et de pattes de mouton grillées, de petit-lait, de sucre, de fromage de lait de jument, d'angélique, de poisson séché, de myrtilles et de l'« humour islandais » pour mettre tout cela dans un trou pratiqué dans l'herbe à l'arrière de la vénérable demeure du ministre. On reconnaissait sans peine le dos de l'homme d'État qui, en chemise, montrait du doigt à un gamin un tonneau où l'on pouvait lire « viande de phoque salée » – on voyait tout cela grâce à la loupe de Pouchkine.

Afin de s'arranger pour que les dames ne se rendent pas compte du lavage de cerveau qu'elles subissaient, il les gratifiait de menues babioles. (Sans parler des nuits épisodiques qu'il leur offrait à l'hôtel Valhöll de Þingvellir. Il couchait avec elles, non parce qu'elles éprouvaient quelque difficulté à se procurer des hommes, mais parce qu'il était expert en galanteries. Pouchkine avait été formé dans les pouponnières du KGB où on l'avait placé dans diverses positions qui relevaient de la plus grande nouveauté sur la terre de feu et de glace.)

Cela faisait toute la différence.

Voilà pourquoi, cher lecteur, si vous-même, l'un de vos enfants ou petits-enfants, possédez un appendice caudal, il n'est pas absurde d'en déduire que les gènes de Michaïl Pouchkine ont dû pénétrer votre famille au cours des années mil neuf cent quarante-six à mil neuf cent soixante-deux.

14

Assis dans la cuisine de la rue Ingólfsstræti, les représentants des grandes puissances s'observaient mutuellement. C'était la première fois qu'ils se rencontraient. Ils s'étaient déjà présentés. Une assiette pleine de crêpes était posée entre eux sur la table de cuisine d'un bleu de glace, chacun avait une tasse à café à la main. Ils ne touchèrent pas aux gourmandises et qu'il s'agisse de l'espion russe à queue ou du théologien américain à cou de taureau, aucun d'eux n'avait jamais vu de ses yeux un semblable spécimen humain.

Ce fut Pouchkine qui rompit la glace :

« Moi, j'ai un petit truc qui me tracasse à l'arrière… »

Anthony se montra enthousiaste :

« Moi aussi. » Puis il mit trois morceaux de sucre dans son café.

« Ah bon ?

— Oui, mais c'est complètement illégal.

– Oh, pourtant personne n'a jamais dit ça à Pouchkine…

– Pardonnez-moi, mon gars, je ne sais pas ce qu'il en est en Union soviétique, mais chez moi en Louisiane… » Anthony fit tournoyer sa main en ajoutant un léger : « Oh ! là, là ! Et encore, je ne vous parle pas du sort réservé à ceux qui sont nés "niggers", alors là, ça rigole pas… »

Pouchkine remit en place son nœud papillon et regarda par la fenêtre comme s'il était à la recherche d'une échappatoire au cas où la cuisine se peuplerait brusquement de policiers parfaitement islandais aux trousses d'hommes affligés d'une queue, d'un appendice caudal ou de quelque extrémité illégale que ce soit. De la bruine couvrait les vitres, l'obscurité tombait.

« Et que fait-on à ces hommes ?

– Euh, comment punit-on ces criminels ?

– Ces criminels ?

– Oui, quel autre nom donner à cela que celui de crime ? Le châtiment peut aller des travaux forcés à la chaise électrique… »

Pouchkine suait à grosses gouttes :

« Mais, personne n'y peut rien…

– La question est discutable… répondit le théologien. »

Pouchkine frissonna de terreur et porta la tasse à ses lèvres : décidément, les rumeurs qui couraient sur ces capitalistes ne mentaient en rien. À ce moment-là, Leó entra par la porte avec son seau de lait. Anthony posa ses deux battoirs sur la table, écarta les doigts et inspecta ses ongles. Pouchkine soufflait sur son café et regardait le bord le plus éloigné de sa tasse. Leó attrapa un entonnoir dans le placard et commença à transvaser le lait dans des bouteilles. Personne ne dit rien jusqu'au moment où Anthony se pencha en arrière, faisant craquer sa chaise :

« Pardonnez-moi, mon gars, mais nous étions en train de discuter, moi et le camarade…

– Le camarade Pouchkine, précisa l'intéressé.

– Oui, Pouchkine et moi avons des petites choses qui nous tracassent à l'arrière. »

Pouchkine poussa un soupir et hocha la tête en signe d'assentiment.

« Aïe… »

Leó blêmit : il s'était senti tellement heureux en trayant Heiða pour ce qu'il croyait être la dernière fois. Ensuite, il l'aurait brossée en lui promettant qu'une fois son rôle de nourrice pour le petit garçon d'argile achevé, il l'emmènerait à la campagne chez de braves gens.

Anthony poursuivit :

« Ça ne me gênait pas hier : on attrape ces deux types, vous les tenez pendant que moi, vlan, je leur arrache les dents. Emballez, c'est pesé, mon vieux.

– Hein ? demanda Pouchkine.

213

– Oui, en outre, on ne sait même pas si l'un d'eux a dans la bouche ce que vous cherchez…

– À qui devons-nous arracher les dents ? » s'étonna Pouchkine.

Leó devint pensif : Anthony Théophrastos Athanius Brown avait raison. Évidemment, c'était de la folie. Ils risquaient d'être condamnés pour agression, enlèvement et, à propos, comment qualifie-t-on juridiquement le fait d'arracher les dents de quelqu'un contre sa volonté ? Il ne pouvait pas s'attendre à ce que ces hommes mettent leur réputation en jeu pour lui : il les connaissait tout juste assez pour se permettre de les appeler ses amis. Si leur projet des plus inconsistants échouait, ils iraient tous en prison. Anthony et Pouchkine seraient ensuite expulsés du pays alors que Leó serait incarcéré quelques mois : pendant ce temps-là, son fils redeviendrait poussière, le petit garçon serait réduit à néant.

Leó entendit Pouchkine marmonner à côté :

« Non et non, ça ne va pas du tout… »

L'aventure s'était transformée en cauchemar avant même d'avoir débuté : Anthony Brown était parvenu à se cacher des Islandais pendant dix-sept années. Après tout, quelle raison avait-il de se sacrifier pour le petit miracle intime qui reposait dans la boîte à chapeau de Leó ? Il en allait de lui comme de la plupart des étrangers qui restaient assez longtemps sur ce rocher loin de tout. Ils ne pouvaient plus s'imaginer le quitter, que ce soit pieds et poings liés ou bien de leur plein gré.

Autrement dit, Anthony appréciait son séjour.

Et même s'il avait été consumé par le mal du pays après l'arrivée du jeune Kennedy au pouvoir, le sort avait voulu qu'il se sente refroidi brutalement dix jours plus tôt, moment où Mlle Monroe s'était éclipsée du rêve américain (c'était justement sur ce mythe du prince de l'ombre et de la lumineuse déesse qu'il avait prévu de se pencher à son retour sur sa terre natale). Tous les arguments théologiques tendaient à indiquer que maintenant que la demoiselle avait disparu, la chute de Kennedy était proche. Anthony n'avait donc aucun motif de rentrer chez lui, d'ailleurs, toute sa famille reposait depuis longtemps six pieds sous terre, mon vieux, pas un pied de moins.

La raison pour laquelle il était impossible de charger encore les épaules de Pouchkine tenait au fait que le service espionnage de l'ambassade soviétique ne pouvait pas se permettre un scandale supplémentaire. Les événements des mois précédents suffisaient amplement : ils avaient fait les gros titres de Vísir et puis, il y avait aussi toutes ces fichues embrouilles sorties du lac de Kleifarvatn. Le point culminant de cette folle entreprise était en outre qu'ils ne sauraient jamais pourquoi diable ils y avaient participé.

Si Pouchkine et Anthony devaient expliquer

pourquoi ils s'étaient mis en tête d'aller arracher nuitamment les crocs des citoyens islandais, tout ce qu'ils pourraient dire c'est qu'ils avaient commis cet acte afin d'aider un homme à retirer l'or qui se trouvait justement à cet endroit. Les perspectives ne seraient pas bien bonnes, non, elles seraient affreuses. Et pendant que Leó croupirait en taule, le petit garçon deviendrait une poussière anonyme : le petit Jósef redeviendrait terre, il ne serait plus que poussière.

À l'automne mil neuf cent quatre-vingt-neuf, un inconnu étudiant en biologie loue l'appartement en sous-sol de la maison d'Ingólfsstræti. Alors que sa mère nettoie les lieux avant qu'il emménage, elle trouve une vieille boîte à chapeau dans l'arrière-cuisine que son fils, l'étudiant en biologie, a l'intention de transformer en bureau. Elle met l'objet sur le trottoir avec les autres saletés qui ne manquent pas dans l'appartement : c'est vraiment incroyable ce que certaines personnes peuvent entasser ! Alors, une bande de gamins aperçoit la boîte qui disparaît en même temps qu'eux. Et puis, quelque part sous un porche où se trouvent des poubelles, les mômes l'ouvrent. Elle est remplie d'une poussière grise qu'ils vident par terre. La bourrasque qui redouble au coin de la rue à l'heure du café la chasse en volutes, l'entraîne dans la rue où elle s'envole, vulgaire poussière qui s'enfuit, quelque part dans le lointain.

216

Non, mon père ne pouvait pas demander à ses camarades de se livrer à cela. Il blêmit, tenta de se cramponner au rebord de la table avant de tomber évanoui sur le sol.

✳✳

Quand Leó revint à lui, il était allongé sur le canapé du salon avec une compresse froide sur le front. Pouchkine lisait le dictionnaire d'hébreu, assis sur une chaise. Anthony se tenait debout à côté de la radio, tête inclinée vers le haut-parleur d'où s'échappait une voix de crooner qui faisait l'éloge de l'interprétation que Dizzy Gillepsie et ses amis donnaient de *My Heart Belongs to Daddy*. Leó se redressa sur le canapé : dehors, la nuit était tombée. Combien de temps était-il resté allongé là ?

« Quelle heure est-il ? »

Le dictionnaire s'envola des mains de Pouchkine pour aller se poser sur le rebord de la fenêtre. Anthony leva les yeux du récepteur :

« Avancée, mon vieux, rudement avancée… »

Leó se pencha en arrière en poussant un soupir de découragement. Pouchkine versa de l'eau dans un verre posé sur la table du salon en attendant, impatient, qu'il y trempe ses lèvres. Une fois que Leó en eut avalé une gorgée, il s'expliqua :

« Quand j'ai dit que j'avais un petit truc qui me tracassait à l'arrière, je voulais simplement parler de ma petite particularité physique, sans arrière-pensées. Je désire m'employer de toutes mes forces à ce que vous obteniez ce que vous voulez. Le camarade Brown, quant à lui, n'a plus aucune réticence. Il est tout bonnement fatigué, il a passé toute la journée à lutter contre des gars du KFUM. »

Anthony leva la main en guise d'excuse :

« C'est toujours comme ça le dimanche. »

Pouchkine réajusta son nœud papillon et passa son majeur sur ses sourcils. Il ouvrit son étui doré pour en tirer une cigarette dont il tapota le filtre sur le couvercle.

« Monsieur Löwe, notre ami, digne membre de la race noire opprimée, a parfaitement raison : il vaudrait mieux que vous nous disiez tout simplement pour quelle raison vous désirez si ardemment vous approprier les molaires de ces hommes.

— Nous sommes, enfin, nous ne sommes pas citoyens islandais contrairement à vous, mon vieux, nous ne serons pas traités de la même façon par les autorités si les choses venaient à se gâter. »

Anthony fit siffler l'air entre ses dents.

« Il nous faut donc une raison valable… »

Leó baissa la tête et tourna les talons. Ils le suivirent jusqu'à la cuisine. Il ouvrit la porte de l'arrière-cuisine, les invitant à y entrer. Ils s'exécutèrent. Il entra derrière eux et referma la porte. Une ampoule électrique rouge s'alluma et les trois hommes se transformèrent en d'imposantes silhouettes noires sous la pénombre ainsi créée.

Mon père se fraya un passage vers le fond de la pièce et descendit la boîte à chapeau de son étagère. Anthony et Pouchkine se penchèrent en avant comme un seul homme quand il la déposa sur la table, enleva le couvercle et retira la soie rose de ce qu'elle enveloppait. La pénombre rougeâtre tomba sur cette parfaite image d'enfant qu'on aurait pu croire dans le ventre de sa mère. C'était un petit garçon, un garçon endormi qui semblait prendre vie au gré des fluctuations de la lumière et des ombres des témoins. (Son visage s'animait : on aurait dit qu'il souriait.) À ce moment-là, ma poitrine d'argile s'éleva doucement avant de s'abaisscr à nouveau, encore plus lentement. C'était moi qui respirais.

On entendit deux inspirations.

L'un des deux hommes vit en moi la fantastique matérialisation du lien unissant l'homme à Dieu, l'autre la prouesse d'un homme qui avait coupé tout lien l'unissant à la réalité céleste.

Pouchkine se mit désormais à énumérer tout ce qu'on savait sur le compte des jumeaux Hrafn W. et Már C. Karlsson. Il tenait la plupart de ses renseignements des dossiers de l'ambassade soviétique et il s'était procuré le reste en buvant du whisky avec ses informateurs islandais. Ces derniers ne supportaient pas la vodka et Pouchkine faisait du troc avec son collègue de l'ambassade britannique, espion dont les informateurs, eux, ne voulaient pas entendre parler d'autre chose.

« Voilà pourquoi Pouchkine est parfois un peu soûl. Les Islandais boivent tellement de whisky alors que chez lui, en Russie, Pouchkine ne buvait que de la vodka. Mais ici, il ne peut pas refuser, ça fait partie du travail. »

Enfin bref, les renseignements que Pouchkine détenait sur les deux frères Karlsson provenaient d'une certaine « MÍLO », standardiste à la Société des entrepreneurs, membre du comité de direction de Hvöt, la branche féminine du Parti de l'indépendance et ancienne élève de l'école du quartier Ouest dans la classe des jumeaux.

« C'est une femme charmante, elle pourrait être russe… »

Pouchkine lisait dans un petit calepin :

« Hrafn et Már sont les fils de Karl Haðarson, constructeur de machines, et de son épouse. Karl est décédé il y a quelques années et sa femme est internée à Kleppur. Les deux fils ont passé leur baccalauréat au lycée de Reykjavík et sont devenus nationalement célèbres en leur jeune temps pour leurs prouesses dans le domaine sportif. Au cours de l'hiver quarante-trois quarante-quatre, ils sont partis étudier de près le mouvement de la jeunesse en Allemagne dont ils sont rentrés au moment où vos chemins se sont croisés sur le paquebot *Goðafoss*. Ils n'étaient pas membres de l'équipage permanent du bateau, mais ils y ont travaillé momentanément afin de payer leur voyage. Pour une raison quelconque, on ne trouve aucune trace de leur passage dans les livres de bord de la compagnie Eimskip dont nous possédons une copie à l'ambassade.

» À la fin de la guerre, ils ont abandonné le sport : Hrafn W. a ouvert le Magasin philatélique de Reykjavík grâce au bénéfice généré par la vente des timbres émis à l'occasion de l'indépendance sur lesquels les deux frères avaient apposé le cachet postal en mer le même jour, le 17 juin 1944. (Autant qu'on sache, il s'agit de l'unique planche existante.) Már C. s'est en revanche enfoncé dans les errements. Après avoir été arrêté, pantalon baissé à l'arbre de Noël de l'Hôtel Borg, il a dessoûlé et s'est racheté une conduite. Il a travaillé comme agent de police jusqu'au moment où il est devenu gardien au Parlement. Hrafn W. est marié à la fille d'un concessionnaire de voitures de Reykjavík, le couple a trois enfants. Már C. a navigué de femmes en femmes pas toujours très recommandables, il vit seul en ce moment. Hrafn s'est considérablement enrichi grâce au commerce des timbres et il s'est fait construire une belle maison dans la rue

Háteigur, Már C. loue un deux pièces dans le quartier des Melar. Et comme nous le savons, Hrafn W. purge actuellement sa peine à la prison de Litla-Hraun pour le meurtre d'Ásgeir Helgason.

» En l'absence de son frère, c'est Már C. qui dirige le Magasin philatélique et je crois savoir que les gens se préoccupent grandement des liens intimes qu'il a tissés avec sa belle-sœur.

Pouchkine reposa son calepin :

« Que voulez-vous qu'on fasse ? »

Il regarda l'heure.

« Normalement, Már doit en ce moment se trouver à sa réunion des Alcooliques anonymes et Hrafn au Temple des francs-maçons. Il y va et en revient sous escorte de la police comme un véritable chef d'État. »

Leó se gratta la tête :

« C'est vous qui êtes le spécialiste de ce genre d'opérations… »

Anthony croisa les bras :

« Je suggère que nous commencions par attraper Már, nous ne savons pas où il cache son or et il nous faudra du temps pour le cuisiner. Je soupçonne également qu'il nous donnera plus de fil à retordre que Hrafn. »

Leó et Pouchkine tombèrent d'accord sur ce point.

« Bien… »

Anthony ferma son poing et banda ses biceps :

« Je dois aller me préparer, veuillez m'excuser. »

Il sortit dans le couloir, attrapa l'étui de sa trompette dans la penderie avant de disparaître dans le
cabinet de toilette.

Pouchkine et Leó se plongèrent sur le plan du
Temple des francs-maçons. Des traits bleu foncé
délimitaient les enfilades de pièces, les recoins et
tout un dédale de couloirs : sous la clarté jaune miel
de la lampe placée au-dessus de la table du salon, le
document rappelait le dessin de l'un de ces laby-
rinthes célèbres du passé.

« Il ne s'agit que d'une simple réunion de loge ; il
devrait donc être quelque part… ici. »

Pouchkine appuyait son doigt sur un prisme situé
au milieu du bâtiment. Leó suffoqua :

« Vous voulez que nous nous introduisions
là-bas ?

— Non, vous êtes fou ou quoi ? Ils ont miné tout
le bâtiment. Si un importun, autrement dit, une
partie de l'humanité n'obéissant pas à la règle des
francs-maçons, venait par hasard à s'introduire
dans ces pièces à sept côtés, circulaires ou en forme
d'alvéoles où se déroulent les rituels, tout le trem-
blement entrerait en action et boum ! Voilà le
Temple qui brûle, réduisant en cendres intrus autant
qu'ultimes secrets. Ce n'est pas un hasard si c'est
l'unique grand immeuble de Reykjavík que le service de lutte contre les incendies n'a jamais pu examiner, et encore bien moins en obtenir les plans

comme le veut pourtant l'usage pour les bâtiments importants. D'ailleurs, il est prévu qu'en cas d'incendie d'origine "naturelle" du Temple des francs-maçons, les pompiers doivent se contenter de s'assurer que le feu ne se propage pas.

– Pas possible !

– Si. Ils ont le droit d'arroser les bâtiments voisins ainsi que les murs extérieurs, mais pas question qu'ils y entrent. Ce sont là des lois tacites. Vous avez eu maille à partir avec un philatéliste et je dois reconnaître que cela n'a rien d'un amusement. Dans une petite société comme celle de Reykjavík, ce genre d'activité est susceptible de faire perdre la raison à n'importe qui et bien peu de gens savent que la loge maçonnique d'Islande est l'une des plus redoutables qui soient au monde. Et pour quelle raison, je vous prie ? Eh bien, elle a été fondée par l'association des philatélistes. Quand tout le monde s'est mis à la philatélie, le noyau dur des collectionneurs de la vieille école a compris qu'il ne fallait surtout pas…

– Messieurs ! »

Ils levèrent les yeux du plan : Anthony se tenait debout dans l'embrasure de la porte. Comme sa tête cachait l'ampoule de l'entrée, on ne distinguait qu'une imposante silhouette masculine. Mais quand il entra dans la clarté du salon, ils comprirent ce à quoi il s'était occupé dans le cabinet de toilette. Il était vêtu d'une combinaison noire extrêmement moulante ornée de traces de pinceau blanches dessinant un squelette, sa tête était dissimulée sous une cagoule dont les fentes laissaient apparaître les yeux et la bouche : c'était la tête de mort et lui, « El Negroman ».

Il avait enfilé le costume qu'il portait à l'époque où il pratiquait les combats de lutte à Mexico, ville où il avait étudié la théologie comparée pendant trois ans :

« Ils adorent la lutte là-bas, je réussissais même à en vivre… »

Il se passa la main sur le ventre :

« J'y ai rencontré de braves gens, comme Paz, par exemple. Ça ne m'étonnerait pas qu'il reçoive un jour le prix Nobel, même si c'est un bien piètre lutteur ! »

15

La voiture noire avançait lentement dans la rue obscure où des garnements avaient cassé à coups de pierres les ampoules des lampadaires. Elle s'arrêta en biais en face de la maison de bois rose pêche au toit et aux fenêtres peintes en noir. Il s'agit tout bêtement de nos trois amis : Leó, Anthony et Pouchkine qui se sont mis en route pour leur périlleuse expédition. Leur première halte est le bâtiment où se retrouvent les Alcooliques anonymes. Personne ne sait ce qui s'y passe, sauf ceux qui l'ont vu de leurs yeux. Et pour peu qu'on ait déjà mis les pieds dans l'une de ces réunions, on sait qu'on y saute à la gorge des inconnus se risquant à poser des questions sur les activités de l'association. (Ce qui suit semble donc ne relever que de suppositions et de conjectures puisque, personnellement, je n'ai jamais assisté à aucune réunion de cette association. Cependant, bien-aimé lecteur, si vous décidez de poursuivre votre lecture bien que je me sois laissé aller à cet aveu et que vous sachiez qu'il ne s'agit là que de pure invention, je puis vous promettre une chose en lot de consolation : c'est là une histoire terriblement haletante qui vous captivera jusqu'à la dernière page.)

Des lumières éclairaient chacune des pièces de la maison, mais la présence humaine se cantonnait à la seule salle à manger du rez-de-chaussée. Les vitres étaient embuées et tout ce qu'on voyait de ceux qui assistaient à la réunion était leurs têtes, toutes orientées dans la même direction, vers un mur où était accroché le drapeau de l'association accompagné de celui de la nation. On distinguait la silhouette affligée d'un homme.

Les trois amis étaient confortablement installés à l'intérieur de leur véhicule. Pouchkine fumait un cigare. Assis sur la banquette arrière, Anthony révisait mentalement les prises de lutte en murmurant leurs noms :

« Liane double, ceinture arrière exécutée en souplesse, clef arrière… »

Le moteur ronronnait doucement pendant que la radio diffusait les Saintes Écritures en bruit de fond. Leó était le seul d'entre eux à être visiblement tendu. De la sueur perlait sur sa lèvre supérieure et il rongeait l'ongle de son index droit. Il s'efforça de fixer son attention sur les commentaires que proposait l'homme à la voix voilée à propos du quatorzième chapitre de la première épître de Paul aux Corinthiens :

228

« Doit-on comprendre que le don de prophétie plaît à notre Dieu ? En effet, les apôtres n'étaient-ils pas également des prophètes ? Paul n'affirme-t-il pas qu'il surpasse quiconque dans l'art de laisser le Saint-Esprit s'exprimer en toute fluidité et sans entraves dans la langue qui est véritablement sienne ? La seule chose contre laquelle il met en garde ses frères et ses sœurs à Corinthe, c'est que trop de gens s'adonnent à l'art de la prédiction en même temps sans comprendre eux-mêmes ce qu'ils racontent. Le don de prophétie est une grâce divine qui n'est accordée qu'à ceux qui sont purs d'esprit et de corps…

– Shabba-di-da-da-da-di-da-da-a, baba-ba-bibbibbiddi-dua, dua… »

Anthony se redressa sur la banquette arrière en tapotant sur le dos du siège en face de lui :

« Babba-dabba-dia, babba-dia…

– Voyons un peu ce qui se trame… »

Pouchkine éteignit les phares, ouvrit la boîte à gants puis alluma le récepteur qui se trouvait dans la voiture et équipait manifestement en série les véhicules de ce type. Il tourna la grande aiguille jusqu'à ce qu'on distingue la voix d'un homme à travers les grésillements et les parasites :

« J'ai commencé à boire avec mon père. J'ai à peine douze ans. Ça a changé ma vie, bzzzzzzz… »

Pouchkine règle l'appareil :

« Bzzzzzz… mon père a arrêté de me battre et,

tous les deux, nous nous sommes mis à punir ma mère. C'était une Suédoise. J'ai été élevé à la confiture, à la confiture de groseilles qu'elle appelait bouillie... »

L'intervenant hésite puis, au terme d'un long silence dans la salle, il reprend sa narration entrecoupée de sanglots :

« Ce n'est quand même pas une nourriture convenable pour un petit garçon islandais... »

L'assistance frémit de chuchotements moqueurs ou réprobateurs. Pouchkine ouvre le compartiment situé sous le frein à main pour y attraper une petite trousse de médecin. À l'intérieur : toutes sortes d'ampoules, un petit étui à pilules, des garrots, des seringues et ce genre de matériel :

« Ça ne va pas être de la tarte. Quelques amphétamines ?

Mon père hausse les sourcils au moment où il entend le prochain intervenant se racler la gorge :

« Je m'appelle Már C. Karlsson, je suis alcoolique. J'ai bu mon premier coup chez les scouts. Mon frère Hrafn et moi, nous étions aux scouts, dans la section des Niflungar. C'est arrivé pendant une excursion à Mosfell. L'un des aînés avait emporté avec lui une flasque de cognac. Après avoir planté le drapeau de notre section, on a ouvert le bouchon. Le claquement résonne encore à l'intérieur de mon esprit. Dans ma mémoire, il résonne encore en écho contre les parois des montagnes.

Quand je passe par là-bas en voiture, j'ai l'impression que quelqu'un se trouve dans la montagne et qu'il m'assène une pichenette sur la joue : plop !!! Il résonne encore.

» Et ensuite : tic, tic, tic…

» Ou plutôt : glou, glou, glou…

» Et même : glurk, glurk, glurk…

» La première gorgée. Il y avait quelque chose de merveilleux à sentir ce liquide caresser la langue, ce flot tapisser la bouche, cette cascade couler dans la gorge. Je me souviens avoir tendu la bouteille à Hrafn, mais il m'a regardé comme si j'avais perdu la raison. Je le trouvais stupide de ne pas vouloir me suivre dans le sillage du héron de l'oubli que j'ai entendu m'appeler dès cette première gorgée : "Camarade, camarade ! Bienvenue en mon sein protecteur, mes bras sont immenses, mes ailes sont vastes, vastes comme le néant, je suis vide comme les étendues de la soif." Et de fait, après cette première gorgée, mon gosier ne supportait plus de s'assécher.

» Oh, combien j'enviais Hrafn d'avoir repoussé cet amer calice. Aujourd'hui, je comprends que tout cela était dû à mon complexe d'infériorité. Je n'ai jamais été aussi bel homme que Hrafn, jamais aussi doué ou apprécié que lui, mais évidemment, je n'aurais pas dû laisser l'alcool m'entraîner aussi bas : par exemple, il n'a jamais eu le dessus sur moi au lancer de marteau.

» Enfin, ça ne s'est pas arrangé à l'école sportive de Nuremberg, non, c'est même là que les choses ont commencé à dérailler. Je parvenais toujours à peu près à courir et à sauter, à lancer le marteau et le poids, mais ça n'a pas duré longtemps. Je dois une fière chandelle à mon frère Hrafn qui bien souvent m'a sauvé la mise en enregistrant divers records à mon nom. C'est un secret, mais je sais que vous le garderez aussi bien que tous ceux qui sont dévoilés pendant vos réunions.

» Oui, et même s'il est en prison aujourd'hui pour un menu forfait qu'il n'a même pas commis, il est toujours un soutien et un appui dans la bataille que je livre au général Bacchus comme nous le surnommions avec lui. »

L'assemblée glousse.

Pouchkine fredonne une mélodie qui ressemble à un psaume. La chose paraît tout à fait inconcevable : l'homme est communiste et athée, comme Leó l'a remarqué en voyant sa réaction en face du miracle dont il a été témoin dans l'arrière-cuisine. Pourtant, une fois que le Russe a achevé sa litanie et qu'il essuie une larme de sa paupière, mon père est pris d'un doute. Il n'est d'ailleurs pas le seul. Anthony Theophrastos Athanias Brown pose sa grande main noire sur l'épaule du chanteur :

« C'est une prière orthodoxe ? »

À ces mots, Pouchkine se redresse sur son siège : celui qui chantonnait à en pleurer quelques instants plus tôt a repris son rôle de messager inflexible de l'Empire soviétique.

« Non, c'est la berceuse du cosmonaute. Celle-là même qu'ont chantée Popov et Nikolaïev en se souhaitant bonne nuit quand ils se sont croisés dans leur périple spatial précisément ici, au-dessus de l'Islande. Au fait, en quoi est-ce que ça vous regarde ? Vous ne vous intéressez qu'aux merveilles qui peuplent les hautes sphères : les dieux, les anges et toutes ces sortes de trucs. Mais je vais vous dire, il existe de belles choses en dehors de celles qui sont invisibles. Je veux parler de la créature humaine – de ce corps complet et indivisible animé de vie sensorielle grâce aux influx nerveux – et cette créature conserve sa beauté à travers toutes les gesticulations qui la mènent du berceau à la tombe. Nous avons évidemment besoin d'une pensée poétique susceptible de placer l'Homme dans une situation où il rutilera tel un tracteur sorti de l'usine au soleil du matin. Et dans ce domaine, c'est l'Union soviétique qui a l'avantage. Vous, les Américains, vous avez des histoires de crieurs de journaux, de cireurs de chaussures, de commis voyageurs et de coursiers d'hôtel qui se transforment en milliardaires, mais ces histoires-là ne nous apprennent absolument rien de neuf à propos de l'Homme. L'appât du gain motive l'être humain et alors, en quoi est-ce une nouveauté ? Non, ces histoires-là appartiennent au passé et relèvent du journalisme. Il faut une pensée communiste, une conscience épique afin de susciter de merveilleuses aventures telle celle qui s'est produite l'autre jour au-dessus de nos têtes.

» En effet, peut-on s'attendre à voir se lever l'un de ceux qui travaillent au sein de la grande institution américaine et capitaliste des voyages spatiaux en entendant la chanson de gens du commun retentir dans l'espace ? Non, là-bas, les rênes sont aux mains d'anciens nazis comme ce Wernher von Braun et d'oiseaux rares de son acabit et je ne parviens pas à m'imaginer qu'ils perçoivent la beauté qui emplit le chant d'un berger répondant à celui d'un bûcheron. Et ils n'ont pas les mots pour décrire la manière dont les cosmonautes tournoient tous les deux au-dessus des continents, légers comme, légers comme… »

Pouchkine se trouvait sous la totale emprise des amphétamines :

« Comme… »

Il concentra son regard sur le reflet déformé que le pare-brise de la voiture lui renvoyait de son visage ; c'était là que figurait la réponse :

« Oui, parfaitement, comme des moutons ! »

***

Le prochain intervenant était un homme à la voix profonde dont l'histoire semblait bien rodée, ce qui indiquait qu'il avait déjà dû la raconter des milliers de fois :

« Je m'appelle Arinbjörn Egilsson et je suis alcoolique. Le hasard a voulu qu'un matin il y a environ treize ans, c'est-à-dire cinq ans après que notre nation est venue grossir le nombre des peuples libres de ce monde, je passe devant le terrain de jeux des enfants qui se trouve dans la rue Freyjugata. J'étais en chemin vers mon travail et j'ai compris qu'il se passait là quelque chose d'intéressant. J'ai ralenti afin de voir de quoi il retournait ; du reste, l'un de mes centres d'intérêt est justement l'évolution de la jeunesse, ses progrès autant que sa croissance. Demain leur appartient alors que nous ne sommes que les parrains de la République islandaise, tout au plus les demi-frères de ceux qui sont nés après le dix-sept juin mil neuf cent quarante-quatre. Nous sommes nés sous la couronne danoise laquelle, dans le meilleur des cas, ne nous seyait pas franchement. La tête de ces enfants n'est-elle pas couronnée par ces aurores boréales qui dansent en toute liberté au-dessus du royaume insulaire du nord ? Les merveilles célestes ne sont pas notre couvre-chef à nous : notre rôle est de les admirer, de les polir et de les protéger.

» Bref, les enfants étaient particulièrement bruyants. Leurs voix aiguës résonnaient dans le matin, elles se taquinaient énergiquement dans la froideur d'octobre, l'atmosphère était saturée d'impatience. "Qu'est-ce qui t'arrive donc là, mon petit ?" demandai-je à une tête blonde qui, dans la fièvre du jeu, avait atterri et pleurnichait au bas du mur de ciment délimitant le terrain. Notons bien que ces murs sont tout à fait nécessaires quand on pense au danger considérable que les voitures roulant à toute vitesse dans nos rues représentent pour notre jeunesse. "Louler", lépondit le gamin. »

L'un des membres de la réunion interrompt Arinbjörn :

« Pardonnez-moi, mais je suppose que vous vouliez dire : "Répondit."

– Que je voulais quoi ? »

Une troisième voix : « Oui, vous avez dit "lépondit". »

Arinbjörn est interloqué, il suffoque puis marmonne :

« Comment ça, lépondit ?

– D'abord vous avez dit "louler" et ensuite, "lépondit"…

– Euh, eh bien, ah oui, merci de m'avoir corrigé. Il n'était absolument pas dans mes intentions de vous embêter avec ça. Oui, mille mercis, je voulais simplement, disons, comment dire, mettre un peu de piment dans mon histoire avec ce "louler", puisque c'est ainsi que cet adorable bambin a prononcé le mot ; d'ailleurs, c'est une faute typique des enfants de cet âge. Bref, j'aurais mieux fait de m'abstenir, c'est vrai, j'aurais dû éviter : ces fautes de langage se propagent à une telle vitesse. Eh bien, peut-être ferais-je mieux de clore là mon intervention ? »

Silence.

« Je laisse cela à votre appréciation. »

Silence.

« Eh bien… »

Arinbjörn s'éclaircit la gorge et appuya lourdement sur les « r » jusqu'à la fin de son discours :

« "Rouler", répondit le gamin en me montrant du doigt un endroit du terrain de jeux où l'on voyait un objet qui ne semblait être à première vue qu'un amas de métal scintillant, je ne veux pas dire un tas de ferraille, ne me comprenez pas mal, cet amas avait une forme bien précise qui n'apparut clairement qu'au moment où cinq solides et magnifiques gaillards des services techniques de la ville le relevèrent. "Et qu'est-ce que c'est que cette chose-là, mon petit ?" demandai-je au gamin qui avait cessé de pleurnicher et s'était précipité en courant vers l'étonnante structure d'acier scintillant alors que les pépiements des autres enfants s'étaient instantanément changés en ce qu'on pourrait surtout qualifier de "ronronnements" oui, le diable s'ils ne ronronnaient pas, ou peut-être pourrait-on décrire ce bruit comme un "murmure", à moins qu'il ne se soit agi d'un "chuchotis".

» Enfin bon, j'ai fait signe à l'une des surveil-
lantes afin qu'elle vienne me dire un mot. Elle a
plutôt bien réagi. "C'est un toboggan, pour faire des
glissades", m'a-t-elle répondu quand je lui ai
montré l'objet qui trônait au centre du terrain de
jeux, scintillant au soleil hivernal et dépassant des
toits comme pour souhaiter le bonjour à la première
génération d'enfants de la République d'Islande.
"Tobog-gan." Ce mot m'était étranger et me semblait accrocher la langue, c'est toujours le cas :
"Tobogg-an."

» "Et qu'est-ce que vous allez faire de ce truc-là
sur le terrain de jeux ? demandai-je.

» – C'est pour les enfants, répondit-elle.

» Moi : – Pour quels enfants ?

» Elle : – Enfin, ceux que vous avez sous les
yeux."

» Et qu'avais-je sous les yeux ? Eh bien,
j'assistais à une scène qui allait me mener sur la
route couverte d'épines de l'alcoolisme. Nos chers
petits bambins avaient formé une interminable
queue derrière cet engin que j'ai plus tard sur-
nommé "La Rigole de l'enfer" dans mon article
publié dans le journal socialiste Þjóðviljinn. »

« Ah ! éructa le camarade Pouchkine, ce bonhomme ne s'imagine quand même pas qu'on va
croire qu'il s'est mis à boire à cause de ça ? Il a toujours adoré l'alcool, il a bu plus que de raison : il a

même donné un coup de tête au cousin préféré de Staline alors qu'il était venu en visite amicale à Leningrad en mil neuf cent quarante-huit.

» Encore une amphétamine ? Des amateurs ? »

16

Quand Arinbjörn Egilsson eut disserté une bonne heure sur l'affaire du toboggan et les conséquences qu'elle avait eues sur sa fâcheuse habitude, les gens commencèrent à quitter la réunion. Pouchkine éteignit le récepteur et les chasseurs de jumeaux se préparèrent afin d'attraper le premier. Il ne fallut pas longtemps pour que Már C. Karlsson sorte sur le pas de la porte. À côté de lui, une femme vêtue d'une salopette du supermarché Hagkaup avec une choucroute sur la tête et un cocard à l'œil gauche aspirait la fumée d'une cigarette. Már remonta la fermeture éclair de son coupe-vent, noua autour de son cou une écharpe aux couleurs du KR, le club de football de Reykjavík et lui souhaita bonne nuit.

Les trois hommes descendirent le sentier Bókhlöðustígur derrière lui et parvinrent à le coincer à côté de la porte de service du Magasin philatélique où il comptait bien entendu préparer ses transactions du lendemain en pesant des kilos de marchandise dénuée de tout intérêt afin de la revendre à des gamins sans méfiance ou par exemple à des étrangers simplets. Pouchkine lui sauta sur le dos comme une fouine et lui enfonça dans l'épaule une seringue remplie de produit anesthésiant.

Fatigué de ses efforts, Anthony Brown reprenait maintenant sa respiration à côté du coffre de la Volga. Le prisonnier était à l'intérieur, étonnamment calme malgré ce qui venait de se passer : prostré comme le fœtus d'un loup, Már C. Karlsson respirait avec des sifflements à travers son nez cassé. Une paire de chaussettes masculines russes le bâillonnait, ses mains et ses jambes étaient attachées avec des lacets de chaussures.

À l'intérieur de la voiture, Pouchkine avait pris le volant. Il s'alluma une cigarette et essuya la sueur de son front d'un revers de la main :

« Nom de Dieu de bon Dieu, y a pas moyen de conduire comme ça. »

Il retira ses chaussures vernies qui avaient perdu leurs lacets puis posa doucement la plante de ses pieds nus sur le frein et l'accélérateur.

« Diable que c'est froid ! »

Puis, murmurant pour lui-même :

« Il faut que je signale ça, que je me dégotte une de ces foutues fiches pour leur demander de poser de la moquette sur les pédales afin qu'on ne meure pas de froid après un combat au corps à corps.

Hein ? Qui sait si je n'obtiendrai pas une certaine reconnaissance pour avoir trouvé cette astuce ? Qu'en pensez-vous ? »

Anthony s'installa dans la voiture en poussant un soupir rhumatismal. Pouchkine jeta un regard dans le rétroviseur où il croisa celui du théologien à la peau noire.

« Avez-vous déjà vu, entendu évoquer ou lu l'histoire d'un homme qui aurait assommé son adversaire avec ses chaussures, l'aurait ligoté avec ses lacets et bâillonné avec ses chaussettes ? »

Anthony faisait la tête et ne répondit rien.

« Ah oui, ils vont donner mon nom à cette technique, vous pouvez en être certains. Camarades, ce que vous apprenez aujourd'hui n'est autre que l'exceptionnelle "méthode Pouchkine" pour maîtriser un homme déchaîné. »

Anthony ne souscrivait en rien aux divagations du Russe. Pouchkine hocha frénétiquement la tête pour le convaincre :

« Au fait, dites donc, il se tenait rudement tranquille quand vous l'avez empaqueté dans le coffre…

– C'est la "méthode Brown", répondit sèchement l'expert en histoire comparée des religions.

– Et en quoi consiste-t-elle ?

– Je lui ai dit que j'étais sodomite ! »

Leó ouvrit d'un coup sec la porte avant et s'assit à la place du passager. Il tenait à la main un pendentif de la taille d'une pièce de deux couronnes. C'était la croix solaire que Már C. Karlsson portait au cou, mais qu'il avait fait voler en l'air lors de la furie qui s'était emparée de lui quand il avait compris que la drogue allait l'assommer. Il avait arraché son écharpe du KR, envoyant l'objet scintillant tournoyer dans la nuit. Leó l'avait ramassé dans le caniveau.

Sous la lumière des lampadaires, cet or jetait des feux qui ressemblaient à s'y méprendre à l'étincelle de la vie elle-même.

Accompagné d'un ânon, Hrafn W. Karlsson apparaît à la porte du temple. Les frères de la Règle se tiennent en deux rangées, formant une allée au fond de laquelle on aperçoit le grand maître qui porte une aube des plus larges. Tous sont endimanchés. On croirait voir une unique et semblable conscience vêtue d'un seul et même costume, d'un seul et même nœud papillon autour du cou et d'une seule et même braguette ouverte. Ils lèvent leurs sabres en l'air :

« Bahomet !!! »

L'ânon sursaute légèrement à l'acclamation, mais le brave homme qui est allé le chercher là où on garde les animaux, à la cave qu'il partage avec un bouc, treize ibis, un alligator psychopathe et un agneau d'éternité capable de tenir un drapeau, cet homme lui caresse doucement les flancs – et il se calme. L'animal n'a pas franchement idée de qui sont ces endimanchés avec leur boutique grande ouverte et leur dague à la main. Les ânes ne se soucient que peu des honneurs et du pouvoir ; en outre, ils ont l'esprit si tordu qu'ils se laissent le mieux commander par celui qui se montre le plus cruel avec eux, celui qui, par exemple, les frappe et les affame. Voilà pourquoi le franc-maçon peut tirer moult enseignement de l'âne. Ainsi n'est-il en rien déplacé de nous attarder quelques instants en ces lieux afin de réfléchir aux raisons pour lesquelles à l'époque où la sublime plus noble conquête de l'homme risquait de s'éteindre et de disparaître purement et simplement de la surface de la terre, l'âne ridicule et risible tirait plutôt bien son épingle du jeu. Qui donc a porté notre Sauveur sur son dos lorsqu'il est entré dans Jérusalem ? En effet, il s'est choisi un âne comme monture et son choix recèle une vérité cachée dont seuls les francs-maçons ont connaissance.

Voilà pourquoi un directeur de cabinet de ministère, un simple directeur de banque, un directeur de brûlerie de café, un maire, un directeur de la compagnie de distribution des eaux, un simple directeur, un jardinier à moitié allemand, un homme qui ne sait rien de rien, un artisan boulanger, un maquignon, un directeur de la banque nationale, un grossiste, un quelconque ministre et un pasteur de la cathédrale sont réunis pour boire à la santé d'un âne dans une salle ridicule située à l'étage du temple rue Skúlagata à Reykjavík en cette soirée du vingt-six août de l'année mil neuf cent soixante-deux après Jésus-Christ. Mais l'ânon « Bahomet » n'a cure de tout cela. Il sent l'odeur des roses, c'est l'heure du repas. Les frères de la Règle remettent leurs poignards au fourreau et tournent les talons. Ils se tournent le dos, chacun prend une rose rouge dans la poche intérieure gauche de sa veste.

Hrafn W. Karlsson promène l'animal à travers la salle dans le sens inverse des aiguilles d'une montre. Il s'arrête à côté de chacun des frères : l'âne reçoit une rose, le frère sort son membre de son pantalon et frotte son gland contre l'entrejambe gris de l'âne pendant que ce dernier déguste la rose. Il s'agit là d'un rite très antique et aucune idée sexuelle ne vient traverser l'esprit du chef de cabinet de ministère, du directeur de brûlerie de café, du maire, du directeur de la compagnie de distribution des eaux, du jardinier, de l'homme qui ne sait rien de rien, du boulanger, du chevillard, du directeur de la banque nationale, du grossiste, du ministre ni du pasteur de la cathédrale quand la muqueuse sensible de leur gland violacé caresse la peau de l'âne. Le pasteur vient justement en

dernière position de cette bande de gens respectables, puisque Hrafn W. Karlsson lance maintenant un :

« Hojsan, hojsan ! »

Ensuite, il emmène l'ânon hors de ce remar-
quable temple maçonnique.

Il ne reste plus qu'un détail à régler : ramasser le
crottin puisque évidemment, l'animal a laissé
quelque chose derrière lui, après cette série de non-
âneries. À son retour, c'est Hrafn qui en est chargé :
telle est sa punition maçonnique pour avoir
retranché la vie d'un homme, il devient le berger
des ânes.

**

« Je n'arrive pas à y croire !

— Tu trouves bizarre que j'aille décrire une réunion de francs-maçons datée du vingt-six août au
lieu de te parler de la plus importante qui a lieu trois
jours plus tard, au moment où la congrégation
célèbre à la fois Noël et Pâques.

— Eh bien, tu ne penses pas que ça aurait au
moins eu le mérite d'aiguiser mon intérêt pour cet
incroyable ordre du jour ?

— Je reconnais que la scène était complètement
absurde. Mais le fait est qu'à ce moment-là, le
chambellan du roi de Suède se trouvait en Islande
et il est, enfin, il est grand maître de l'ordre suédois

des francs-maçons dont la loge islandaise n'est qu'une branche mineure.

– Je trouve la façon dont ils traitent ces animaux encore plus étonnante que le fait qu'ils aient tenu leur messe un dimanche habituel.

– Réfléchis un peu à cela : la loge maçonnique islandaise a été officiellement fondée peu après la visite en Islande du zoo Sirkus. Cela relève-t-il d'un simple hasard ? Jusqu'à ce moment-là, les francs-maçons se servaient uniquement des crânes de ces bestioles, ensuite, ils les ont expédiés à Akureyri*.

– Eh bien dites donc… »

À l'extérieur du temple, la vie poursuit son cours. Les habitants de la ville se mettent au lit. Les lumières sont éteintes dans Skuggahverfi, le quartier des Ombres. Demain, c'est lundi, une nouvelle semaine de labeur s'annonce dans la vie de l'industrieux Islandais qui, quitte à s'en rompre le dos, travaille pour servir son pays, car la nation en est encore à user ses chaussures d'enfant et il désire ardemment la voir atteindre une saine maturité. Un danseur de flamenco esseulé pleure sur son destin assis sur les marches du Théâtre national. Et les trois compères dans la voiture garée sous un porche de l'autre côté de la rue se fichent de la santé de la république, ce qui est aussi le cas de l'homme bâillonné, attaché au fond du coffre.

Eh bien, pendant que les francs-maçons se restaurent après avoir honoré leur ânon, Löwe, Brown et Pouchkine attendent de mettre à exécution la seconde partie de leur plan consistant à récupérer l'or dont mon père a besoin pour éveiller à la vie son unique fils. Le prisonnier du coffre médite en revanche sur la manière dont il pourra se libérer et contrarier leur projet.

Quand la quiétude de minuit s'installe sur la ville, les francs-maçons sont rassasiés. La présence qu'on distingue à côté la porte de service n'est que celle de Sigurður, l'hospitalier. Il pose une fesse sur une poubelle où il s'allume un cigare cubain à demi consumé qu'il a subtilisé sur l'une des tables des frères. Ensuite, il tire un verre de cognac de la poche de sa veste et avale une gorgée.

Anthony Brown abaisse sa cagoule sur son visage et se faufile sans bruit hors de la Volga.

À ce moment-là, Pouchkine déclare :

« La nuit dernière, j'ai rêvé du gardien de nuit de l'hôtel Borg. »

Leó reste silencieux à l'annonce cette nouvelle inattendue.

« J'avais l'impression d'être arrivé au dernier

étage d'un bâtiment qui était en réalité un crâne blanchi par le soleil et le vent, sur lequel avait poussé un enchevêtrement d'herbes touffues qui le dissimulait comme un tapis de joncs verts. En même temps, on aurait dit une grande couette étendue sur laquelle je me suis mis à me rouler, comme on fait quand on est gamin. C'était agréable car elle était toute gonflée et elle sentait bon le géranium des bois. Après m'être livré à un bon nombre de roulades, j'étais arrivé là où on placerait la tête du lit, vous voyez, juste derrière le sommet du crâne, à l'endroit où il plonge pour former la nuque, là, je remarque la présence d'un homme sous le tapis herbeux. Il s'assied à la surface et vient s'amuser avec moi.

» Quand je me suis réveillé, je me suis rendu compte qu'il s'agissait en fait du gardien de nuit de l'hôtel Borg. Je ne connais absolument pas cet homme, il m'est juste arrivé de l'apercevoir quand il quitte son service. Serait-il par hasard alchimiste ? »

Il regarde Leó :

« Un crâne, un homme originaire du village de Grindavík ? »

Leó réfléchit :

« Un squelette à Grindavík ? »

Pouchkine secoue la tête, Leó hausse les sourcils :

250

« Une tête, l'hôtel Borg ? Autrement dit : une capitale [1] ! »

Pouchkine hoche la tête :

« Pas mal du tout, personnellement, je penche pour "ville imaginaire". »

Leó éclate de rire :

« Nom de Dieu, nous sommes bien devenus de vrais Islandais ! »

Sigurður l'hospitalier sursaute quand Hrafn sort par la porte de service. Il cache son verre de cognac et son cigare derrière le dos puis demande en aspirant ses mots avec la fumée :

« Vous êtes à pied ?

— Oui, je vais marcher…

— Ah bon, vous voilà donc réinstallé en ville ? »

Hrafn lance à l'homme un regard empoisonné. Ce satané bonhomme se paierait-il sa tête ? Il sait parfaitement qu'il purge toujours sa peine à la prison de Litla-Hraun. D'ailleurs, il était occupé à décortiquer les langoustines dans la cuisine au moment où la police l'a conduit ici aux environs de huit heures. À coup sûr, tout le monde serait au

---

1. Le jeu de mots est intraduisible : *borg* signifie « ville », *höfuð* signifie « tête » d'où l'interprétation donnée par Leó de *höfuðborg*, c'est-à-dire « capitale » (ville à la « tête » du pays).

251

courant du jour de sa libération. Voyez-moi un peu cet animal au visage tout gonflé par son rire étouffé.

« Les petits gars font un tournoi de manille au commissariat. Je vais leur laisser le temps de terminer. »

Sigurður lui répond, le visage à la fois cramoisi et bleu :

« Touchante attention.

– Et pour que ce soit bien clair, je suis innocent… »

Il adresse un geste de la main au frère hospitalier avant de poursuivre son chemin. Sigurður tousse à en cracher ses poumons. Pouchkine met la Volga au point mort ; la voiture descend la pente en silence. Quelques graviers crissent çà et là, mais pas au point d'attirer l'attention de Hrafn qui remonte la rue Skúlagata en direction du commissariat où l'équipe du soir est en train de ratatiner aux cartes celle de la nuit. Ce n'est en effet qu'à l'automne que les instituteurs occupant un emploi d'été dans la police devront retourner se colleter à la jeunesse (cette frange balourde de la nation qui mâchouille du chewing-gum, avale ses consonnes et souffre de liaisons mal-t-à-propos) et alors ils perdront la partie face à leurs ignorants collègues.

Tel un prédateur à pattes de velours, la Volga glisse dans le sillage de Hrafn W. Karlsson, l'assassin aux timbres. Leó retient sa respiration. Au moment où Hrafn arrivera à hauteur du bâtiment des abattoirs, Anthony Brown l'attirera d'un coup sec sous le porche où il le plaquera à terre. Leó et Pouchkine sauteront de la voiture. Pouchkine lui administrera une piqûre anesthésiante et, quand il sera endormi, Leó trouvera la molaire et il l'arrachera. Ensuite, ils le laisseront dormir au côté de son frère, puis ils se sépareront. Leó appellera la police en déclarant que, désormais, Ásgeir, le préposé aux douches de la piscine de Sundhöllin a été vengé ou quelque chose de ce genre. Les policiers ne feront aucune difficulté. En effet, comment iraient-ils expliquer qu'un assassin se promène en toute tranquillité le long de la mer alors qu'il devrait à juste titre être assis à fumer cigarette sur cigarette sur une paillasse de la prison de Litla-Hraun, à méditer sur sa condition et à préparer sa réinsertion ?

Hrafn avance d'un pied léger pour un homme qui pèse cent trente kilos. La confection des dalles dont on pave les trottoirs le maintient en forme pendant son purgatoire et Leó écarquille les yeux en le voyant enjamber lestement la grille du croisement avec le sentier Frakkastígur. Son rendez-vous avec El Negroman, le champion mexicain de lutte, ne va plus tarder.

17

Anthony Brown barra la route à Hrafn
W. Karlsson et l'empoigna à bras-le-corps à la
manière d'un grizzli. Il serra tant et si bien le marchand de timbres que celui-ci n'eut pas le temps
d'articuler un mot. Pouchkine pila net et sauta du
véhicule, sa trousse de médecin à la main. Leó le
rattrapa au moment où celui-ci enfonçait profondément la piqûre anesthésiante dans le postérieur de
Hrafn. Le marchand de timbres s'affaissa en marmonnant une quelconque imbécillité sur les bruants
des neiges. Ils tirèrent l'homme plus loin sous le
porche jusqu'à l'enclos depuis lequel quelques
moutons observaient impassiblement leur manège.
Pouchkine descendit au coin du bâtiment pour vérifier que personne n'arrivait.

Leó s'assit à califourchon sur la poitrine de Hrafn
W. et lui attrapa la gueule pour l'ouvrir en grand. Il
chercha la dent en or du regard, mais l'obscurité du
porche empêchait le précieux métal qui animerait le
petit corps d'argile de scintiller. De son majeur, il

255

explora l'intérieur de la bouche jusqu'à trouver sur la gauche de la gencive supérieure la dent de sagesse autour de laquelle il enroula une pince. La tête de l'homme oscillait au gré de ses mouvements, mais la dent ne cédait pas. Au bout d'un moment que mon père l'avait ainsi balancée de droite à gauche, Anthony lui attrapa le bras en lui chuchotant qu'il valait peut-être mieux qu'il s'en occupe. Mon père céda à l'expert en théologie comparée bien qu'il lui déplût fort de ne pouvoir participer à l'opération. Anthony lui proposa alors :

« Vous n'avez qu'à lui tenir la tête. »

Mon père s'exécuta, heureux de pouvoir se rendre utile. Anthony tira sur la pince d'un coup sec en recourrant à toute sa force. Leó vit la pupille totalement dilatée du marchand de timbres se contracter subitement à l'instant où la dent de sagesse fut extraite de sa bouche.

« Tenez, voilà l'or ! »

Anthony tendit la pince à mon père qui prit la dent d'un geste professionnel entre ses doigts pour l'emmener à l'arrière du bâtiment où une lampe éclairait l'entrée du personnel. Anthony remit debout Hrafn W. Il souriait benoîtement, un filet de sang lui coulait de la bouche jusqu'au menton. L'homme noir fit signe à Pouchkine d'approcher la voiture du porche : il était inutile de courir le risque de voir le chargement s'échapper dans la rue. En outre, il semblait à Anthony que Hrafn avait besoin d'une seconde injection. Ce dernier reprenait en effet du poil de la bête, il était arrivé au point de vouloir chanter sa joie au monde :

« Il était une fois une fleur toute petite et bleue... »

Anthony lui colla sa main sur la bouche.

Leó sentit un sentiment de terreur l'enserrer comme un étau au moment où, plaçant la dent sous la lampe, il constata qu'elle ne contenait rien que du très banal or dentaire islandais. Lui avaient-ils arraché la mauvaise dent ? On aurait dit que les agneaux dans l'enclos étaient contaminés par sa peur, ils détalèrent et se rassemblèrent le long de la paroi la plus éloignée du porche.

« Alors, mon vieux, vous venez ou quoi ? »

Anthony jeta un œil au coin et chuchota aussi haut qu'il le pouvait :

« Il faut que nous dégagions d'ici. »

En voyant la vapeur qui s'échappait de sa bouche, Leó sentit que la température était tombée en dessous de zéro pendant qu'ils s'étaient occupés de Hrafn. Il frissonna et remonta le col de sa veste. Il faudrait qu'ils replongent leurs mains dans la bouche de ce bonhomme. Il retourna sous le porche. Pouchkine y avait reculé la Volga. Il se tenait à côté du coffre, prêt à l'ouvrir pour y placer le prisonnier qui commençait à dérailler sérieusement.

« Je ne suis pas sûr d'en avoir le cran. »

Il tambourinait de ses doigts sur la peinture noire du véhicule. Le givre se posait sur la lunette arrière.

« Pourriez-vous m'aider, monsieur Brown ?

– Seulement si vous lui donnez une autre dose… »

Pouchkine regarda Hrafn d'un air abasourdi :

« C'est incroyable ce que ces gars-là sont résistants… »

Il attrapa sa trousse de médecin sur le siège avant, dosa le produit et prépara la seringue.

« Quel froid du diable ! Les chambres froides de l'abattoir sont juste à côté ou quoi ? »

Hrafn W. tenta de dire quelque chose à travers l'épaisse main d'Anthony. Il était apparemment en train de revenir à lui ; le colosse noir le serra un peu plus fort. Les moutons dans l'enclos commençaient à s'impatienter. Leó s'avança pour montrer la dent à ses deux compagnons :

« Il faut que nous y regardions de plus près, ça ne va pas… »

Pouchkine enfonça la seringue dans le bras de Hrafn. Anthony relâcha son emprise un instant et le prisonnier put à nouveau s'exprimer. Cette fois-ci, ce n'était en rien pour disserter sur le bleu des petites fleurs :

« Ta gueule ! Tu n'as aucune idée de ce que vous trimballez dans ce coffre… »

La voix de Hrafn était rauque. Leó le regarda

dans les yeux : ils étaient jaunes. Il avala l'air à pleins poumons, tel un nageur :

« HRA… »

Le hurlement bestial mourut en un couinement canin au moment où la drogue fit à nouveau effet. Une chienne répondit quelque part dans le quartier des Ombres. Quel cri affreux c'était là. Anthony projeta Hrafn qui alla atterrir contre le mur des abattoirs avant de retomber à même la rue :

« Ça ne va pas du tout, il faut qu'on se tire d'ici. »

Leó enfonça un doigt dans la bouche de l'homme, mais ne trouva rien. Pouchkine mit Hrafn debout, le poussa jusqu'à la voiture, lui défit la ceinture du pantalon puis le lui baissa.

*
**

« Voilà qui soulève des questions ! » déclara Leó une fois qu'ils eurent remonté en vitesse la rue Skúlagata avant d'obliquer sur le boulevard Hringbraut en direction de la colline d'Öskjuhlíð.

« L'Islande est l'un des rares pays où l'on peut encore répandre des rumeurs prétendant que les hommes éprouvent une attirance sexuelle pour les moutons. Je suis incapable de dire pour quelle raison, je suppose que j'habite ici depuis trop peu de temps, même si je l'ai convenablement mis à profit.

— Que fait-on maintenant ?

— On se débarrasse de lui à côté des réservoirs d'eau chaude. »

Anthony appuya ses avant-bras sur le dossier des sièges avant et posa son menton sur le rebord de l'un d'eux, entre Leó et Pouchkine.

« Mon vieux, pour un intellectuel tel que moi, disons que ça suffit comme ça, je ne vais quand même pas perdre mon travail et tout ça, n'est-ce pas ? »

Les trois hommes se taisaient.

Après leur défaite contre le marchand de timbres, Leó s'était résolu à se contenter du peu d'or qu'il avait fabriqué lui-même auquel s'ajoutait celui qu'il parviendrait à extraire de la croix solaire. L'insuffisante quantité du précieux métal rendrait le petit garçon légèrement bancal par rapport au reste de ses compatriotes : il serait sourd, manchot, diabétique, attardé voire cancéreux. Leó se sentait prêt à affronter tout cela, de semblables embûches s'étaient déjà rencontrées lors de la création d'homoncules.

Devant eux s'élevaient les réservoirs d'eau chaude au sommet de la colline, telle l'enceinte noire d'un château du Moyen Âge touchant les cieux aux nuages gris. Sur les flancs, le chaos feuillu de buissons à hauteur d'homme en lesquels les gens de Reykjavík voulaient voir une forêt enchantée. Les trois hommes empruntèrent la branche ouest de la route de l'aéroport avant de prendre la piste de gravier pour monter jusqu'au pied des réservoirs.

« Eh bien, nous y voilà… »

Ils descendirent de la voiture et se dirigèrent vers le coffre. Le prisonnier n'avait donné aucun signe de vie depuis le moment où ils avaient détalé du porche de l'abattoir.

« Est-ce qu'il est, croyez-vous qu'il serait… soupira Leó.

– Cela me semble peu probable, répondit Pouchkine en posant une main sur son épaule. Ce véhicule est prévu à cet effet, ceux qui l'ont conçu comptent que le conducteur ait besoin d'effectuer des transports de cette sorte. Nous devons cependant nous armer de précautions. Soit la drogue l'a endormi, soit il a été assommé par les cahots de la voiture sur la route toute défoncée, ou encore… »

Pouchkine leva un doigt en l'air, c'était lui le spécialiste en la matière :

« Ou encore, il est allongé là, il a réussi à enlever les chaussettes qui le bâillonnent, à détacher les lacets et il se tient prêt à nous prendre par surprise. N'oublions pas qu'il s'agit d'un ancien champion des pays nordiques en lancer de marteau. »

Il baissa la voix :

« Mais nous avons peut-être la solution. »

Il ouvrit sa trousse de médecin qui semblait receler une autre entourloupe de nature chimique pour en sortir un tuyau en latex et un bidon de gaz muni d'un robinet. Il plaça une extrémité du tuyau sur le goulot et introduisit l'autre par la fente du coffre. Il avala une amphétamine puis ouvrit l'arrivée du gaz. Au bout d'un bon moment, il déclara :

« Si M. Karlsson n'est pas en ce moment au pays des rêves, alors c'est moi qui suis en train de rêver que je me trouve en pleine nuit sur la colline d'Öskjuhlíð en train de déverser de l'acide lysergique sur le frère jumeau et alcoolisé d'un meurtrier incarcéré, frère jumeau qui se trouve, notez bien, à l'intérieur du coffre de ma voiture. Je suis accompagné d'un colosse noir vêtu d'un costume de lutte mexicain des plus moulants ainsi que d'un juif tchèque du nom de Jón Jónsson, pardonnez-moi, d'un Islandais du nom de Leó Löwe, alchimiste en possession d'un petit garçon d'argile. Le but de tout cela est que, plus tard dans mon rêve, cette œuvre d'argile s'éveille à la vie pour accomplir divers miracles dans le monde. Ce qui donnera matière à une autre rêverie. »

À ces mots, la terrifiante réaction en chaîne s'enclencha. Les choses se passaient exactement comme dans toutes ces affreuses bandes dessinées interdites d'importation en Islande : le rêveur bondit hors du coffre de la voiture avec l'abattant sur ses épaules. Il n'avait plus rien de commun avec l'homme qu'ils y avaient placé, sa veste et sa chemise étaient en lambeaux, mais fort heureusement, il était encore pieds et poings liés – et il avait toujours les chaussettes dans la bouche.

Mais pas pour longtemps.

Le visage de l'homme devint bleu, les yeux lui sortirent des orbites, des borborygmes s'échappèrent de sa gorge, accompagnés de profonds reniflements au moment où il avala la paire de chaussettes. (Leó fut pris d'un haut-le-cœur en voyant ce paquet de matière synthétique tendre le gosier de l'homme avant de descendre telle une pleine lune dans son œsophage en soulevant les os de sa poitrine en chemin). Son séjour dans le coffre ne lui avait pas franchement réussi.

Már C. s'arc-bouta et poussa un hurlement de bête. Tous les oiseaux de la colline s'envolèrent de leur perchoir, que ce soit une branche, une touffe d'herbe ou une pierre. C'est alors que débuta l'affreuse transformation du visage de l'ancien gardien du Parlement : les os de son crâne se comportaient comme s'ils étaient constitués d'une matière synthétique fluide – son front s'affaissa, son nez et sa mâchoire inférieure avancèrent comme s'ils abritaient un poing fermé frappant de l'intérieur de toutes ses forces. Ses yeux changèrent de couleur, passant du bleu limpide au jaune fauve, ses pupilles s'étrécirent en deux fines fentes, de grandes dents lui sortirent des gencives, scintillantes comme des sabres.

« Nom de Dieu, qu'est-ce que c'est donc que ces deux frères ? »

Pouchkine parcourait les alentours du regard, à la recherche d'une échappatoire. Anthony laissa sa tête s'affaisser entre ses épaules, c'était la réaction instinctive du champion de lutte. Les quelques pas qu'il fit en arrière relevaient de la même technique. L'homme poursuivait sa métamorphose, il se libéra de ses liens. Son corps tout entier se couvrit de poils à la suite de l'effort et, en un instant, des muscles vinrent remplacer sa graisse. Il ouvrit grande sa gueule et se lécha les babines avec sa longue langue de loup. À ce moment-là, Leó aperçut ce qui lui manquait cruellement : l'or se trouvait à l'intérieur de la dent de sagesse de Már, lequel n'était évidemment nul autre que Hrafn W. Karlsson, le marchand de timbres. Pourquoi Leó ne s'en était-il pas rendu compte avant ? Évidemment, cette saloperie s'était arrangée pour que sa pauvre loque de frère aille en prison à sa place. Voilà que toutes les pièces du puzzle s'imbriquaient.

Hrafn tourna la tête vers mon père, sa bouche écumait de salive, ses yeux lançaient des éclairs tels des bûchers attisés par une tempête déchaînée. Il déploya largement ses grandes mains – au bout de chaque doigt brillait une arme mortelle – et s'apprêta à bondir sur Leó. Il eut un moment d'hésitation. Mon père sortit un pistolet vieux comme

Hérode qu'il chargea par la gueule avec une telle dextérité que Pouchkine et Brown en crurent à peine leurs yeux.

Le loup-garou grommela de colère quand Leó arracha un bouton en argent de sa chemise pour l'enfoncer dans le canon. (Ainsi sont généralement équipés les adeptes de l'ésotérisme.) La bête sauvage disparut d'un bond dans la nuit. Mon père lança les clefs à ses compagnons :

« Retrouvez-moi à Ingólfsstræti ! »

Anthony Brown les saisit au vol et mon père se lança à la poursuite du monstre. Le tonnerre grondait loin sur le golfe de Faxaflói...

VII

(ANNIVERSAIRE)

18

« Obscurité. Naissance de Confucius.

» En l'an 413 avant Jésus-Christ, l'éclipse de Lune met la flotte de Nisias en déroute. Les Spartiates ne voient rien de funeste dans les signes célestes et massacrent les Athéniens.

» Mille neuf cent cinquante-huit ans plus tard naît Alexandre Farnese, duc de Parme. Quand il a dix-sept ans, le compositeur Hans Leo Hassler voit le jour. Sept années s'écoulent avant que le pape Pie nomme Cosimo Ier de Médicis grand-duc de Toscane. En 1576, la grande peste emporte le peintre Titien et le compositeur Simon Bessler naît en 1583. Ce dernier a précisément deux ans au moment où le duc de Parme prend la ville d'Anvers et dix-huit quand Oliver Van Noort achève le premier voyage d'exploration des Hollandais dans le Nouveau Monde.

» Il advient ensuite qu'en 1610 le roi polonais Vladislav reçoit la couronne de Russie et en 1619, le monarque absolu Frédéric du Palatinat celle de

Bohême alors qu'en 1626 débutent les hostilités à Barenburg à cause de Luther. Elles se soldent par la victoire écrasante des ligues catholiques sur Christian IV, roi de Danemark. En 1628, le sultan de Java attaque l'Indonésie, il faudra encore patienter deux ans pour voir naître Maria Van Oosterwyck, peintre de natures mortes et treize avant que le compositeur Johann Samuel Welter voie le jour. En 1667, l'existence de tornades est pour la première fois consignée dans un livre. L'événement se produit à Jamestown, Virginie. Voilà pour le XVIIe.

» L'éruption de Mývatn cerne l'église de Reykjahlíð et la rivière de magma s'écoule jusqu'au lac, comme on le voit encore aujourd'hui. Cette lave est encore chaude dix ans plus tard, à la naissance du compositeur Michel Delalande en 1739. Le temps passe et il faut attendre jusqu'à l'année 1770 pour que vienne au monde un certain Georg Wilhelm Friedrich Hegel, l'inventeur de la dialectique. Il n'est encore qu'un gamin de cinq ans au moment où les Anglais écrasent la révolte des colons américains à Long Island. En 1783, pour la première fois dans l'histoire de l'humanité, un ballon à hydrogène sans passager s'élève dans les airs pour atteindre une altitude de neuf cents mètres. Il ne reste plus que six ans avant que les États généraux français accouchent de toute une déclaration des droits de l'homme aussi bien que du citoyen. En 1798, nous assistons à la bataille de Castelbar en

Irlande : l'armée française s'exerce à la chasse aux Anglais.

» Parfait… En 1813, Napoléon remporte la victoire de Dresde contre les armées autrichiennes ; en 1816, lord Exmouth bombarde Alger, refuge des pirates barbaresques, et le critique musical, compositeur et maître de musique Hermann Kipper naît dix années après ce nettoyage d'utilité publique. Il advient qu'en 1828, l'Uruguay obtient l'indépendance à la suite des pourparlers de paix en cours au Brésil et en Argentine. Et deux ans plus tard, Black Hawk, chef des Peaux-Rouges de la tribu Sauk, renonce à lutter contre l'avancée de l'homme blanc. En 1837, nouvelle naissance d'un compositeur : voici Heinrich Urban qui a déjà atteint une certaine maîtrise des instruments de musique (il n'a tout de même que douze ans) au moment où le peuple mexicain voit naître le poète Manuel Acuña, célèbre pour son *Nocturne*. Le mathématicien italien Giuseppe Peano Cuneo vient au monde un an avant qu'Edwin Drake devienne le premier homme à extraire du pétrole. Cela se produit en 1859 et annonce des changements radicaux, tant sociaux qu'économiques au cours des six ans qui vont s'écouler jusqu'à la naissance d'Emmuska Orczy, surnommée « le mouron rouge ».

» Cette dernière est âgée de deux ans lorsque l'éruption commence sous le glacier du Vatnajökull. Ce même jour, Umberto Giordano vient grossir le nombre des poètes vivants et défunts. En 1871 naît l'écrivain Théodore Dreiser puis, en 1874, c'est le tour du chimiste Karl Bosch, puis celui du constructeur de voitures Charles Stuart Rolls en 1877 et enfin celui du compositeur Joseph Stuart Richards en 1878. En 1879, un bien triste événement se produit : Roland Hill, l'inventeur du timbre, décède dans sa quatre-vingt-quatrième année. Plus tard, sa contribution à la civilisation se verra largement surévaluée. En 1882 naissent le compositeur Jaroslav Kricka et Samuel Gelbfisch qui prendra plus tard le nom de Goldwyn. Ils ne sont encore que des bébés âgés de un an quand l'île du Krakatoa explose, dégageant une puissance de mille trois cents mégatonnes. On ressent la secousse en maints endroits du monde, parmi lesquels, l'Islande.

» L'astronome Alphonse Borrelly aperçoit l'astéroïde numéro 240 auquel il donne le nom de Vanadis, cet événement a lieu en 1883. L'année 1886 est un grand cru pour les musiciens, puisqu'elle voit naître Rebecca Clarke et Éric Coates, connu pour sa maîtrise de la viole. Un an plus tard, l'Histoire se tourne vers le village de Staðarhraun dans la province de Mýrasýsla. C'est là qu'un petit garçon du nom de Jónas Guðlaugsson voit le jour. On attendra jusqu'en 1890 pour assister à la naissance de Man Ray à New York. Au moment où il atteindra l'âge de deux ans, tout le monde ne parlera que de l'incendie du Metropolitan Opera de la ville. En 1896, les troupes britanniques crient victoire sur celles de Zanzibar après la « guerre de Trente Minutes » qui a duré de 9 h 02 à 9 h 40 du matin.

» En 1897, A. Charlois remarque l'existence de l'astéroïde numéro 427 qu'il baptise Galène. L'année 1899 voit naître Cecil Scott Forester, l'homme qui écrira l'histoire du capitaine Horatio Hornblower. En 1900 se déroule la bataille de Bergendal où le général de l'Empire britannique Buller réduit en miettes l'armée des Boers et le général Botha. Je suppose que vient maintenant le siècle de toutes les découvertes.

» La première année du nouveau siècle, lequel est encore le nôtre, voit la naissance d'Al Ritz. L'année suivante naît le compositeur Hubert Menges et, en 1903, Xavier Villaurrutia, le poète mexicain qui a parlé de la vie nocturne des anges. En 1908, la nouvelle nous arrive du Texas : le couple Johnson donne naissance à un garçon qu'ils baptisent Lyndon B. Un an plus tôt, Max Wolf avait découvert l'astéroïde numéro 605 qu'il a nommé Juvisia. En 1909 naissent le saxophoniste Lester « President » Young et le champion de course cycliste Sylveer Maes. Il advient aussi qu'en Yougoslavie, un bébé du nom d'Agnes Gonxha Bajaxhiu vient au monde : plus tard, les enfants de Calcutta l'appelleront à la fois mère et Teresa.

273

» En 1912, Edgar Rice Burroughs publie son roman *Tarzan chez les singes*. Tout juste un an plus tard, c'est la naissance du philosophe Donald Mac-kenzie Mackinnon. Le même jour, un événement qui fait date dans l'histoire de l'aéronautique a lieu à Kiev : Piotr Nestrov, lieutenant du service aérien de l'Empire russe, s'envole et effectue la première manœuvre acrobatique aérienne dans son monoplan. Au deuxième jour de la guerre de 14, les Allemands bombardent Usdau lors de la bataille de Tannenberg. Dans le froid de la mer du Nord, le chalutier *Skúli Fógeti* percute une mine et coule. Le même jour, l'astéroïde numéro 794 apparaît dans le télescope de M. Palisa, il lui donne le nom d'Irénée. Deux ans s'écoulent avant que la Roumanie ne déclare la guerre à l'Empire austro-hongrois.

» En 1922, le champion de course à pied finlandais Paavo Nurmi établit le record mondial du trois mille mètres : 8 minutes 28 secondes et 6 dixièmes. Trois années passent avant la naissance de Tony Crombie, joueur de batterie et tête du groupe qui viendra déchaîner Reykjavík au printemps 57. L'année est riche en événements : seize personnes périssent lors du second plus grave accident de l'histoire du métro de New York, soixante nations signent le pacte Briand Kellogg afin d'éradiquer la guerre de la surface de la Terre ; Mangosuthu Gatsha Buthelezi, chef zoulou, vient au monde. Un an plus tard naissent la lanceuse de

274

disque Elizabeta Bagrintsïeva en Russie ainsi que l'écrivain Ira Levin aux États-Unis.

» La conférence mondiale pour la paix a lieu à Amsterdam en 1932, le même jour, on assiste à la naissance du cosmonaute Michaïl Nicolaïevitch Bourdaïev et du compositeur François Glorieux. En outre, deux cent mille ouvriers de l'industrie textile britannique se mettent en grève. En 1935, P. Shajn décroche le gros lot en découvrant deux astéroïdes au cours de la même journée, il s'agit des numéros 1389 et 1387, respectivement baptisés : Ostanina et Kama. Naissent maintenant Alice Coltrane et Tommy Sands et, au cours de la même année, George E. T. Eyston fixe le record de vitesse en voiture à 555,8 km/heure. Un an plus tard, dans une soirée parisienne, on assiste à un événement navrant : le peintre surréaliste Oscar Dominguez lance un verre au visage du Roumain Victor Brauner qui perd définitivement l'usage d'un œil. Erich Warsitz effectue le premier vol dans un avion à réaction : un Heinkel HE-178. Ce jour-là, en 1939, ses compatriotes au pouvoir de l'Allemagne hitlérienne exigent l'autorité sur le corridor polonais menant à Dantzig. Ainsi débute la Seconde Guerre mondiale. L'année suivante voit un autre événement important dans l'histoire de l'aéronautique : le vol expérimental d'un avion à réaction, le Caprini-Campini CC2, est un franc succès à Milan. Aux États-Unis, le guitariste de jazz Warren

Harding « Sonny » Sharrock vient au monde et G. Strommer est heureux de découvrir l'astéroïde 1537 qu'il nomme Transylvania.

» En 1941 naît le cosmonaute Youri Vassilievitch Malichev qui participera à Soyouz II et XI. Plus au sud, en Perse, le Shah abdique au profit de son fils Mohammed Reza Palhavi auquel il remet les insignes du pouvoir. L'actrice Tuesday Weld naît en 1943, un an plus tard, c'est le tour du compositeur Barry Conyngham : le même jour, deux cents bombardiers Halifax pilonnent les installations pétrolières de Hambourg. En 1945, les troupes américaines envahissent le Japon à la suite de la reddition d'Hirohito, « fils du soleil ». En Islande, un an plus tard, la première voiture se risque à emprunter le ravin de Siglufjörður au terme des onze années qu'il a fallu pour labourer et aplanir la route.

» En 1951, les salles de la Galerie nationale d'Islande abritées par le bâtiment du Musée national sont officiellement ouvertes. En 1952, Emil Zátopek remporte le marathon des douzièmes olympiades en 2 heures, 23 minutes, 3 secondes et 2 centièmes. En 1955, *Le Guinness des records* est publié pour la première fois. En 1957, les Américains se livrent à des essais de bombes à hydrogène dans le désert du Nevada.

» En 1958, ils les font exploser dans l'Atlantique Sud alors que les Soviétiques envoient dans

276

l'espace Spoutnik III avec deux chiens à son bord. En 1960, Anita Lonsbrough bat le record mondial du deux cents mètres en natation avec un temps de 2 minutes, 49 secondes et 5 centièmes.

» En 1961, aux États-Unis, Francis The Talking Mule, autrement dit la Mule parlante est l'invité mystère de l'émission télévisée *What's my Line ?*

**

– Et alors ?

– Rien de tout cela n'arrive à la cheville du miracle qui s'est produit dans la cuisine de l'appartement en sous-sol du numéro huit de la rue Ingólfsstræti, en ce jour de l'année mil neuf cent soixante-deux, à onze heures et cinq minutes : c'est alors que je suis né.

» Plus tard au cours de la même journée les Soviétiques ont fait exploser une bombe atomique de quatre mille mégatonnes en Nouvelle-Zemble et les Américains ont envoyé dans l'espace la sonde Mariner II, celle qui est allée jusqu'à Vénus.

» C'étaient là des signes de bon augure. »

19

Onze heures allaient sonner quand Leó fit fondre l'or de la dent de Hrafn W. et de la croix solaire. Il versa le métal à l'intérieur du moule et attendit qu'il refroidisse.

Sa bataille contre le loup-garou philatéliste s'était terminée au sommet des réservoirs d'eau chaude. Le vent froid de l'automne hérissait la fourrure du monstre qui caressait la lune baignée dans les nuages. Mon père se tenait à distance respectable. Planté au bord de l'une des cuves, Hrafn se balançait d'un air menaçant, occultant par intermittences la clarté lunaire. Il avait manifestement l'intention de le précipiter dans le vide en s'arrangeant pour que la pesanteur et les rochers en contrebas rompent chacun des os de son corps. Hrafn bondit soudainement.

Rapide comme l'éclair, Leó Löwe se recroquevilla sur lui-même. Le misérable le survola avant d'atterrir sur le dos avec un bruit sourd. Le loup-garou poussa un hurlement de douleur et demeura immobile un long moment, dans l'espoir évidemment que son adversaire commette l'erreur grossière de venir vérifier si c'en était fini de lui : il n'en ferait alors qu'une bouchée. Une fois qu'il fut évident que cela ne se produirait pas, il se tourna sur le ventre pour se relever péniblement sur ses pattes.

Jambes écartées, mon père tenait le pistolet à l'horizontale, dans la position idéale du tireur, prêt à ouvrir le feu sur le loup-garou qui venait vers lui d'un pas lent.

« Et merde… » grommela Hrafn W. Karlsson, gêné par sa grossière langue de loup, plus à l'aise pour laper le sang que pour former des mots. Les bras lui tombèrent le long du corps, il ajouta d'un air découragé : « Me voilà trop vieux pour ces trucs-là… »

Mon père recula d'un pas en armant la gâchette afin de signifier clairement à la crapule qu'il avait réellement l'intention d'utiliser son arme. L'autre aboya :

« Tenez, voilà cette saloperie… »

Le marchand de timbres enfonça les longues griffes animales de son pouce et de son index à l'intérieur de sa gueule d'où il retira la dent comme si de rien n'était. Il la lança à mon père qui l'attrapa au vol.

Sa main se referma autour. Un nuage vint cacher la lune.

Au moment où la clarté réapparut, Hrafn W. Karlsson avait disparu.

⁂

Leó tapota sur la face extérieure du moule contenant la chevalière gravée du sceau. Il la polit au chiffon doux avant de la glisser sur son majeur. D'ici peu de temps, son œuvre serait accomplie. Il alla réveiller Pouchkine et Anthony qui dormaient sur les fauteuils du salon. Ils se mirent debout et le suivirent jusqu'à la cuisine. Là, ils se placèrent chacun d'un côté de la table pendant que Leó allait dans l'arrière-cuisine pour chercher la boîte à chapeau.

Il la posa sur la table, enleva le couvercle et déplia les pièces de tissu les unes après les autres. Toutes étaient taillées dans la plus belle soie, elles débordaient de la boîte telle une étoffe vivante. Il sortit précautionneusement l'enfant d'argile pour le poser sur la table. Puis il retira la chevalière de son doigt et prononça quelques mots bien choisis avant d'enfoncer le sceau dans l'argile.

⁂

« Naître, c'est comme sortir d'une mare au fond des bois et s'allonger au soleil brûlant : le corps se réchauffe subitement, puis on a la chair de poule. »

Leó enveloppa l'enfant tout tremblant que j'étais dans la couette en duvet d'eider achetée de longue date et se pencha sur moi en m'adressant des gazouillis. Au cours des dix-huit années écoulées depuis son arrivée en Islande, il avait accumulé tout l'équipement nécessaire au maternage d'un nouveau-né. Anthony et Pouchkine béaient d'étonnement en voyant tiroirs et placards déverser leurs innombrables salopettes de toutes les couleurs, couches et gants de toilette, anneaux de dentition et hochets à mordiller, biberons et sucettes, chandails et bonnets, chaussettes et moufles, nounours et poupées qui auraient suffit à équiper plusieurs croisades d'enfants.

Je n'étais plus une motte d'argile endormie, mais un petit garçon violacé qui gigotait, gazouillait et geignait pendant que mon père me mettait une couche, qu'il m'enfilait mon maillot de corps en coton tout doux et ma salopette bleu ciel à motif fleuri.

Anthony fit une brève incursion dans le couloir d'où il revint avec un livre à la main qu'il déposa à mes pieds :

« La coutume ne veut-elle pas qu'on offre un cadeau au nouveau-né ? »

Il s'agissait d'un petit recueil intitulé : *Les*

Islandais des autres planètes de Guðmundur Davíðsson.

Pouchkine plongea la main dans sa poche pour en sortir un crochet de serrurier :

« Cela peut toujours servir… »

Et il le déposa dans le creux de ma main.

Un troisième présent me parvint par la poste.

La chèvre se mit à bêler dans le jardin, une paire de pieds en uniforme passa devant la fenêtre et, l'instant d'après, quelque chose tomba par la fente dans la porte d'entrée : une lettre qui avait mis plus de quatre ans à parcourir les cinq minutes de marche entre le quartier de Kvosin et la rue Ingólfsstræti.

Reykjavík, le 5 mars 1958

Monsieur Löwe, cher client de la piscine,

Permettez-moi d'abord de m'excuser de vous forcer à lire ces lignes. Je ne suis pas doué pour l'écriture et l'affaire qui m'amène est embarrassante, j'en ai pleinement conscience. Je vous connais à peine si l'on enlève le fait que j'ai parfois eu le plaisir de discuter avec vous, les fois où vous êtes venu à Sundhöllin. Ils n'étaient pas nombreux à en avoir envie. Je veux dire, de discuter avec moi.

Vous ne l'avez pas remarqué parce que vous êtes étranger, mais je fais beaucoup de fautes en parlant. Peut-être pas vraiment des fautes, mais en tout cas, je ne parle pas un très bon islandais. C'est pour moi un comble de malchance, vu que je suis le fils de Helgi Steingrímsson.

J'ai pris la décision de mettre fin à mes jours. Je tiens à vous confier cette enveloppe affranchie avec une combinaison de timbres-poste de deux schillings à dentelure grossière et de timbres taxes de quatre schillings à dentelure fine, postée à Djúpavogur, mais oblitérée à Hambourg. Il me semble bien qu'au cours de l'une de nos conversations, j'ai laissé échapper que je possédais cette pièce de valeur : je me suis donc dit qu'il était pas plus mal qu'elle tombe entre vos mains. Ce n'est toutefois pas à vous qu'elle est destinée.

Au cas où vous auriez un jour un fils, utilisez cette enveloppe pour lui permettre de faire ce qu'il a envie. Si, par exemple, il a peur de l'eau, ne le forcez pas à s'entraîner à la natation contre sa volonté.

Merci bien.

Ásgeir Helgason

P.-S. Je sais que mon décès amènera les gens à se poser des questions, mais je voulais absolument me venger de H.W.K. en lui tendant un piège. C'est moi qui ai placé ma collection de timbres sous le

placard de son bureau. Ne le dites à personne. Un
jour, il a réussi à m'escroquer d'un timbre de cinq
aurar où il y avait un « trois » imprimé à l'envers.
Après, il l'a vendu aux enchères à Copenhague.
    J'avais neuf ans. Je n'étais qu'un enfant.
    Á. H.

**

Au soir de mon premier jour, une fois que mon
père m'eut lavé, talqué, qu'il m'eut enfilé ma
couche, mis mon pyjama, couché dans mon berceau et bordé dans ma couette, il me raconta une
histoire afin de m'endormir. Sur sa paupière, une
larme tremblante.

HISTOIRE DE LA CRÉATION

Un jour, le père et le fils universels arpentaient
l'univers. Ils étaient sur le chemin de retour, mais
avaient encore une longue route à parcourir avant
d'arriver chez eux. Le père portait son fils endormi
sur sa poitrine. Au bout de six jours, fatigué par sa
longue marche, il fit une halte aux abords de la Voie
lactée. Il posa le garçon endormi sur de la poussière
d'étoiles et s'allongea lui-même dans le vide pour
se reposer. Quelque temps plus tard, le petit garçon

de l'univers fut réveillé par un astéroïde qui vint lui chatouiller le nez. Il allait éternuer, mais cela aurait été bien trop bruyant et, comme c'était un gentil petit garçon, il se pinça le nez afin de ne pas réveiller son père.

Le petit garçon s'amusait avec les comètes, tentait de les attraper en les retenant par la queue, il aimait sentir leur chaleur caresser la paume de ses mains quand elles parvenaient à s'échapper de son poing fermé. Le jeu l'éloignait de son père assoupi. Le petit garçon remarqua un soleil froid qu'il avait envie d'examiner de plus près et, en moins de temps qu'il ne faut pour le dire, il était arrivé au bord d'un trou noir, immense et glacial dans lequel le soleil fut happé.

L'enfant tendit le bras pour le rattraper. Trop loin. Le trou noir se referma vigoureusement sur sa main en attirant le petit garçon vers lui, doucement mais fermement.

« Aïe ! »

Le garçon de l'univers se mit à pleurer, il appela et cria, mais ses pleurs étaient aspirés par l'obscurité et, maintenant, c'était son autre bras qui s'enfonçait. Il s'approchait du trou noir, de plus en plus près. Sa tête disparut, puis ses épaules, puis son corps, puis ses jambes. Il disparut tout entier : seul le gros orteil de son pied gauche demeura à l'extérieur du trou. Le garçon de l'univers qui était si profondément enfoncé sentit enfin qu'il avait froid au nez et, l'espace d'un instant, il cessa de sangloter.

« Atchoum ! »

Son éternuement se propagea dans tout l'univers.

Le père universel s'éveilla en sursaut. Il accourut et vit l'orteil de son fils comme suspendu dans le vide. Il l'attrapa pour extirper l'enfant du trou, le prit dans ses bras, le consola en lui expliquant qu'il ne devait plus jamais se livrer à ce genre de jeu.

« Mon cher papa, je ne m'éloignerai plus jamais de toi. »

Le petit garçon de l'univers s'arrêta de pleurer.

Son père essuya les larmes de ses paupières puis déposa un baiser sur ses petites mains. À ce moment-là, il remarqua alors que du noir s'était accumulé sous l'ongle de l'annulaire droit de l'enfant. Alors, le père universel sortit son grand couteau. La lame puissante scintillait dans le vide, son tranchant lançait des éclairs.

Le fils avança sa main, tendit son doigt et son ongle sous lequel le père glissa la lame. Il y racla un peu d'argile, celle qui provenait des confins du trou noir. Le père universel passa la lame sur le bout du doigt de son fils où il déposa l'argile. Puis, il rangea son couteau et montra à l'enfant comment fabriquer une boulette en faisant rouler la terre entre ses doigts. L'enfant s'exécuta. Le père universel et son fils reprirent la route qui les mènerait chez eux.

Ils traversèrent l'éternité en se tenant par la main. Le père fredonnait une chansonnette ou chantonnait un poème pendant que le fils s'amusait avec sa boulette d'argile. Alors qu'ils étaient presque arrivés, ils passèrent aux abords d'une petite galaxie. Celle-ci abritait un système solaire. Au milieu trônait une étoile autour de laquelle tournait une planète. C'était une terre bleutée en révolution sur elle-même. Autour d'elle tournait un astre gris. Chaque corps céleste tournait l'un autour de l'autre.

Le petit garçon trouva que la Terre était belle et il avança son bras afin de la toucher. Sa main dépassa la lune grise, traversa l'atmosphère, se glissa sous le pôle Sud. Il fit reposer la Terre au creux de sa paume et la laissa tourner à l'intérieur. Le père observait son fils pendant qu'il approchait la Terre de son visage, baigné par sa clarté bleutée.

Le fils regarda longtemps les nuages blancs duveteux, les tornades noirâtres, les éclairs dorés et les aurores boréales argentées. Leurs lueurs dansaient dans les cieux au-dessus d'une île toute proche du pôle Nord. Le petit garçon regarda son père puis à nouveau l'île. À nouveau son père, à nouveau l'île. Alors de sa main libre, il déposa la boulette d'argile noire au fond de l'une des baies. Avant de ramener son bras à lui, il la pressa fermement à l'aide de son index.

L'empreinte de son doigt imprima le tracé des rues, des parcs, des jardins et des places.

C'est à cet endroit que s'élève aujourd'hui la ville de Reykjavík.

*
**

« Eh bien, bonne nuit !
– Cui, cui… »

Notes

Akureyri : il existe en effet à Akureyri une maison sur le fronton de laquelle on peut voir les insignes de la franc-maçonnerie.

Brennivín : eau-de-vie islandaise aromatisée au cumin.

Freyr : c'est l'une des divinités liées à la thématique de la fécondité chez les anciens Scandinaves, il s'agit d'une statuette phallique, probablement inspirée de celle de Rällinge (Suède).

Garðaríki : ancien nom de la Russie utilisé dans les sagas islandaises.

Hallgerður : épouse de Gunnar dans la Saga de Njáll ; on lui attribue la mort de ses deux précédents maris.

Hrafn : ce prénom signifie aussi « corbeau ».

Le Loup-Garou (I Was a Teenage Werwolf) : film de Gene Fowler Jr. réalisé en 1957.

Néologisme : l'islandais permet en effet de créer des mots nouveaux en ayant recours aux racines nordiques afin de décrire une réalité nouvelle.

Nykur : selon une ancienne croyance islandaise, il s'agit d'un cheval censé vivre dans les lacs et y noyer les hommes.

Onward Christian Soldiers : « En avant soldats du Christ. » Psaume utilisé dans de nombreuses confréries protestantes.

Dédicace et remerciements
du traducteur

Je dédie ce travail de traduction au Pr Régis Boyer sans les encouragements et la bienveillance duquel je ne serais jamais devenu traducteur.

Je souhaite également remercier mes amis Hanna Steinunn Thorleifsdottir, Wilfried Besnardeau et mon épouse Claude Lebigre-Boury pour leurs relectures, leurs suggestions et leur soutien.

Composition et mise en pages : FACOMPO, LISIEUX

Achevé d'imprimer en janvier 2011
par Novoprint (Barcelone)

Dépôt légal : janvier 2011

Imprimé en Espagne